CW00919320

Ar Draws Gwlad 2

Ysgrifau ar Enwau Lleoedd

Gwynedd O. Pierce
Tomos Roberts

Argraffiad cyntaf: Gŵyl Ddewi 1999

ⓗ *Yr Awduron/Gwasg Carreg Gwalch*

Ni chaniateir defnyddio unrhyw ran/rannau
o'r llyfr hwn mewn unrhyw fodd
(ac eithrio i ddiben adolygu)
heb ganiatâd perchennog yr hawlfraint yn gyntaf.

Rhif Llyfr Safonol Rhyngwladol:
0-86381-556-1

Clawr: Smala

Argraffwyd a chyhoeddwyd gan Wasg Carreg Gwalch,
12 Iard yr Orsaf, Llanrwst, Dyffryn Conwy LL26 0EH.
☎ *(01492) 642031*

Yr Athro Emeritws Gwynedd O. Pierce. Cyn bennaeth Adran Hanes Cymru, Prifysgol Cymru, Caerdydd. Cyfarwyddwr Prosiect Enwau Lleoedd Cymru y Bwrdd Gwybodau Celtaidd. Cadeirydd Pwyllgor Ymgynghorol Enwau Lleoedd y Swyddfa Gymreig. Llywydd y Society for Name Studies in Britain and Ireland 1996-99.

Tomos Roberts. Archifydd y Brifysgol, Prifysgol Cymru, Bangor. Aelod o Bwyllgor Ymgynghorol Enwau Lleoedd y Swyddfa Gymreig.

Rhagair

Dyma'r ail ddetholiad o gant namyn un o ysgrifau wythnosol y ddau awdur i'r golofn 'Ditectif Geiriau' yn y *Western Mail* a ymddangosodd rhwng dechrau 1996 a mis Awst 1998. Cafodd y gyfrol gyntaf dderbyniad gwresog a mawr hyderir mai hynny fydd hanes y gyfrol hon hefyd gan nad yw'r golofn yn y *Western Mail* yn ymddangos bellach, a'r teimlad oedd y byddai'n werth rhoi'r ysgrifau hyn ar gof a chadw.

Am yr ail waith, ein braint yw cael cydnabod cydweithrediad parod ein noddwyr ar staff y *Western Mail*. John Cosslett, prif ysgogydd y gyfres 'Ditectif Geiriau' o'r cychwyn, a Rian Evans, y Golygydd Celf presennol, a lanwodd y bwlch yn dra effeithiol ar ei ymddeoliad. Mawr yw dyled Tomos a minnau i'r ddau am eu gofal ac am sicrhau parhad y golofn, hefyd am eu caniatâd i atgynhyrchu'r ysgrifau dan y teitl *Ar Draws Gwlad 2*.

Yr un yw ein cydnabyddiaeth o waith meistri'r gorffennol yn y maes ag yn y gyfrol gyntaf. Dylai ein dyled fod yn gwbl amlwg o ddarllen y tudalennau sy'n dilyn.

Gwynedd Pierce

Aberbaedan

Aberbaiden yw ffurf yr enw hwn ar y map. Holwyd fi amdano gan gydnabod a ddarllenodd gyfeiriad Dafydd Morganwg yn ei *Hanes Morganwg* (1874) at y posibilrwydd y gellid ei gysylltu â'r frwydr Arthuraidd enwog, brwydr Mynydd Baddon.

Go brin. Nid oes llawer o amheuaeth mai enw nant yw ail elfen yr enw, fel y gellid disgwyl gyda'r elfen gyntaf **aber**, sef 'cymer dwy nant' yn yr achos hwn. Y mae hynny'n glir gan mai at *aqua de Baithan* a *the water of Baithan* y cyfeirir mewn nifer o hen ddogfennau Lladin a Saesneg o ddiwedd y ddeuddegfed ganrif ymlaen. Cyfeirir hefyd at ryd ar y nant, *vado de Baithan* 1147-83 a cheir cyfeiriad diamwys at **Nant-baydan** 1584.

Rhoddodd y nant ei henw i **Fynydd Baedan** yn **Nhraen Baedan** *c.*1700, parsel o blwyf Llangynwyd ac arno dyddyn, ffermdy wedyn, **Baiden Farm** ar y map ac yn ei ymyl hen gapel anwes **Capel Baedan** *(the chapel of Langonoyd* 1703) nad yw'n sefyll erbyn hyn.

Y mae enw'r nant wedi ymddangos fel **Baithan, Baythan, Baydan, Bayden, Baiden** dros y blynyddoedd, ond nid yw'n hawdd olrhain ei chwrs bellach er y gellir credu iddi godi ar y mynydd a rhedeg i lawr i ymuno â Nant Iorwerth Goch, rhagnant i afon Cynffig, nid nepell o **Aberbaedan** (ceir **Court Aberbaydan** 1664) i'r gogledd o Gefncribwr.

Parthed ffurf yr enw, awgryma'r ffurfiau cynnar **Baithan, Baythan,** mai sefyll am **dd** y mae **th**, a'r **ay, ai**, am y ddeusain Gymraeg **ae**, fel y gellir credu mai **Baeddan** oedd y ffurf wreiddiol. Hynny a gredai R.J. Thomas, ac mai ffurf fachigol yw **baeddan** ar **baedd** 'mochyn, twrch'. Enghraifft, felly, i'w gosod yn y dosbarth hwnnw o enwau afonydd a nentydd a elwid ar ôl anifeiliaid, fel **Twrch**, **Banw**, **Gwŷs** a **Hwch**, nentydd 'sy'n rhychu eu ffordd trwy'r tir a'r cerrig', yng ngeiriau Syr Ifor Williams.

Ar lafar, caledwyd **dd-n** yn **d-n**, peth lled eithriadol pan fo llafariad rhwng y cytseiniaid hynny er i hyn ddigwydd o chwith, fel petai, yn **Honddu**, gynt **Hodni**. Ceir **Aberbaedan** (**Aberbaiden** 1803) a **Glanbaedan** (**Glanbaiden**) ger Gofilon yng Ngwent yn ogystal.

G.O.P.

Abergwrelych

Dyma'r fan y rhed nant **Gwrelych** i afon Nedd ger Pont Walby a Glyn-nedd, ac fel llawer o enwau afonydd a nentydd Cymru, sydd ymhlith yr enwau mwyaf anodd i'w hesbonio gan mwyaf, nid eithriad mo'r enw hwn. Dyna paham, mae'n siŵr, y gofynnodd amryw i mi am eglurhad! Yn ffodus, fodd bynnag, fe drafodwyd yr enw eisoes gan ddau o gewri'r gorffennol yn y maes fel nad oes raid i mi ond trosglwyddo eu barn hwy yma.

Cyfyd y nant, sef **Wrelec** 1203, **Wrelech** 1253, **Gwrelich** 1578, **Gwrelych** 1666, ger Llyn Fawr uwchben y Rugos, ac fe red heibio **Blaen Gwrelych** ac **Ystum Gwrelych** (**Estunwrelech** 1253, **Estymwereleh** 1256) i lawr i **Abergwrelych**.

Er i Syr Ifor Williams gredu yn gynharach mai enw yw hwn sy'n cynnwys y terfyniad gwrywaidd **-ych**, hwyrfrydig oedd yr Athro Melville Richards i dderbyn hynny gan y byddai'n gadael, wedyn, elfen gyntaf bur dywyll i'w datrys, sef **gwrel-**. Yr oedd wedi trafod yr enw **Emlych** ar ddau le, un ym mhlwyf Tyddewi a'r llall ger Pen-bre, y naill a'r llall hefyd ar lannau afon a nant, ac wedi cynnig mai **llych** oedd ail elfen yr enw hwnnw, sef ffurf amrywiol ar **llwch** 'pwll, cors, lle gwlyb', gydag **em-**, ffurf affeithiedig ar yr **am-** hwnnw a geir mewn rhai enwau yn golygu 'o amgylch, gerllaw' fel yn **Amgoed**, **Amrath**, ac **Amlwch** ym Môn (a all fod yn ffurf i'w chysylltu ag **Emlych**; cymharer **Cemlyn** o **cam** + **llyn**).

Yr oedd yr Athro yn barod i dderbyn, felly, mai **llych** oedd ail elfen **Gwrelych**, yn arbennig gan fod Syr Ifor, ar y llaw arall, yn ei nodiadau ar destun *Canu Aneirin*, wedi tynnu sylw at yr hen air **gwre**, hen ffurf unigol gyda'r ffurf luosog **gwreint** y crewyd ffurf unigol newydd ohono, **gwreinyn** 'pryfyn, cynrhonyn, gwyfyn'.

Gadawn y gweddill i'r Athro: 'O ran ystyr byddai **Gwrelych** "nant y pryfyn" yn cyd-fynd yn rhagorol ag enwau nentydd yn cynnwys yr elfen **chwil**, megis **Chwil**, **Chwilen**, **Chwilog**, **Chwiler** etc.' Nododd hefyd fod **Cwm Gwreinyn** i'w gael ym mhlwyf Cemais, sir Drefaldwyn.

Pwy a all ddweud yn amgenach?

G.O.P.

GWRIL LLYCH

Afon Adda

Rhed afon drwy ganol dinas Bangor ond ychydig a ŵyr amdani. Yn wir y mae'n debyg nad yw llawer o ieuenctid y ddinas a thrigolion a ymsefydlodd yno'n ddiweddar yn gwybod am ei bodolaeth. Yn araf dros gyfnod o ganrif a hanner, gosodwyd yr afon mewn traeniau mawr a bellach dyfroedd dan y ddaear yw dyfroedd yr afon hon. Fodd bynnag fe glyw clust y cyfarwydd ei dyfroedd yn llifo'n chwyrn dan y ffyrdd a'r palmentydd tua'r môr.

Cwyd yr afon ger ffermdy o'r enw **Tygolchi** (sydd bellach yn dŷ bwyta) nid nepell o brif fynedfa plasty'r Faenol ac yna llifa am dair milltir a hanner drwy'r ddinas ac allan i'r môr ger iard gychod ar Ffordd y Traeth yn Hirael. Er iddi gael ei gosod dan y ddaear y mae iddi o hyd duedd i orlifo a pheri llifogydd. Dioddefodd nifer o adeiladau a siopau ym Mangor o'i herwydd yn ystod y blynyddoedd diwethaf hyn.

Enw swyddogol yr afon bellach yw **Afon Adda**. Cafodd yr enw hwn tua dechrau'r bedwaredd ganrif ar bymtheg am ei bod yn llifo heibio i dyddyn o'r enw **Cae mab Adda** yn fuan ar ôl tarddu. Yr oedd, fodd bynnag, enw blaenorol i'r afon sef **Tarannon**. Cofnodais bum enghraifft o'r enw hwn mewn gweithredoedd yng nghasgliad Castell Penrhyn, a gedwir ym Mhrifysgol Bangor, rhwng 1491 ac 1589-90. Dyma'r ffurfiau: 1491 **tarannon**; 1491 **terannon**; 1544 **Tranan**; 1547 **Toranon**; 1589-90 **avon dronwen**. Ymddengys i'r enw hwn fynd dros gof ar ôl diwedd yr unfed ganrif ar bymtheg. Dywedir mewn un llyfr taith o ddiwedd y ddeunawfed ganrif nad oedd i'r afon enw, ond erys adlais o'r hen enw hyd heddiw yn enw rhes o dai cyngor a saif ger cwrs yr afon yng Nghoed-mawr, sef **Toronnen**.

Y mae'n bosibl mai'r gair **taran** yw elfen gyntaf yr enw **Tarannon** ac i'r afon gael ei henw am ei bod yn gwneud sŵn megis taranau. Y mae'n wir fod yr afon i'w chlywed yn taranu dan y ddaear mewn nifer o fannau ym Mangor heddiw. Y mae'n bosibl hefyd iddi gael ei henwi ar ôl **Tarannis**, un o'r duwiau Celtaidd. Cafodd nifer o afonydd yng Nghymru, megis **Braint** ac **Aeron** eu henwi ar ôl duwiau a duwiesau.

Ond y mae'n fwy tebygol fod cysylltiad rhwng yr enw a'r enwau afonydd **Tarannon** yn yr hen sir Drefaldwyn a **Trent** a **Tarent** (hen enw afon Arun) yn Lloegr. Credir yn gyffredin fod yr enwau hyn yn deillio o'r enw Brythonig ***Trisantona** ac mai ystyr yr enw hwn oedd 'y tresmaswr'; 'y crwydrwr'; 'yr afon sydd yn gorlifo ei glennydd'.

Felly, er i'r hen afon golli ei henw, er iddi ddiflannu dan y ddaear, ceidw hyd heddiw y natur a roes iddi ei henw gwreiddiol – y duedd i orlifo.

T.R.

Arthur's Butts Hill

Ar nifer o hen fapiau o Forgannwg dyma'r enw a geir ar Fynydd y Garth ger Pen-tyrch. Er enghraifft, ceir **Arthur's buttes hill** 1578 gan Christopher Saxton, **Arthur's Butts Hill** 1610 gan John Speed, **Arthur's Buts hill** gan Johan Bleau ac **Arthur's Butts Hill** 1729 gan Emanuel Bowen.

Y mae i'r mynydd un nodwedd amlwg sef bod ar ei gopa res unionsyth o garneddau sylweddol ac un arall lai ei maint, nid rhai pigfain creigiog ond rhai crwn a llyfn eu pennau, bron fel soseri â'u pennau i lawr, a dywed Comisiwn yr Henebau wrthym mai hen feddrodau ydynt o'r Oes Efydd.

Fel y gŵyr pawb, y mae llawer o feini a chladdfeydd hynafol ar hyd a lled y wlad a gafodd eu henwi gan y werin, enwau cartrefol eu naws sy'n aml yn gysylltiedig ag enwau cewri neu wroniaid y dyddiau gynt y priodolwyd iddynt gyneddfau goruwchnaturiol, ac yng Nghymru pwy a wad nad y brenin Arthur yw'r ffigwr amlycaf mewn cysylltiadau o'r fath.

Ceir **Cerrig Arthur, Carnedd Arthur, Ffynnon Gegin Arthur** yn Arfon (gyda **cegin** yn yr hen ystyr 'trum, cefnen') a **Coeten Arthur** mewn nifer o ardaloedd am gromlech hen gladdfa gerrig a enwyd felly am nad oedd ond megis **coeten**, Saesneg *quoit*, y gellid ei thaflu'n rhwydd gan Arthur a fagodd, yntau, gyneddfau dychmygol cawr yng nghwrs amser.

Arthur's Stone yw'r ffurf Saesneg sy'n cyfateb i'r olaf mewn rhai mannau, er mai **Maen Ceti** yw'r enw Cymraeg ar y beddrod a enwir felly ar Gefn-bryn ym Mhenrhyn Gŵyr, enw a luniwyd, efallai, i'w gysylltu â'r **Ceti** anhysbys hwnnw yn yr enw **Ynys Ceti** (**Enesketti** 1319) sef **Sgeti**, yn Abertawe.

Term arall sy'n cael ei ddefnyddio yn Lloegr am garneddau tebyg i'r rhai a geir ar Fynydd y Garth yw *butt*. Ystyr *butt* mewn Saesneg Canol oedd 'cocyn, twmpath' a daeth i olygu math arbennig o dwmpath, sef yr hyn a elwir yn *archery butt* lle byddid yn ymarfer saethu â bwa a saeth. Fel y gellid disgwyl, yr arwr mawr yn Lloegr oedd Robin Hood, ac fe geir **Robin Hood's Butts** yn enw ar garneddau yng Ngwlad yr Haf a ger Weobley yn swydd Henffordd.

Onid addasiad hwylus o'r term yw'r cyfeiriad at **Arthur's Butts** 'nodau saethu Arthur' ar Fynydd y Garth? Ni wn am gywirdeb priodoli enwogrwydd mewn defnyddio bwa a saeth i Arthur, ond nid yw manylder hanesyddol a thechnegol yn nodwedd amlwg mewn enwau gwerinol. A phwy oedd yn gyfrifol am ei drosglwyddo i wŷr y mapiau tybed? Ni welais arlliw o ffurf Gymraeg gyfochrog.

G.O.P.

Bedwellte

Dyma ffurf gywir yr enw a sillefir fel **Bedwellty** yn amlach na pheidio y dyddiau hyn ac nid hawdd darbwyllo pawb nad oes a wnelo ddim â'r gair **tŷ**.

Yn wir, cafwyd amryw o gynigion ar ei esbonio. Ffurf ar y cyfarchiad **byd gwell i ti** meddai Evan Powell mewn traethawd arobryn ar hanes Tredegar yn 1884! Ffurf dalfyredig o **bedwelltydd**, sef coed **bedw + elltydd**, ffurf luosog **allt**, medd eraill. Prin fod yr un ohonynt yn ystyried mai **Bod Mellde** a **Bodwellde** yw ffurf yr enw *c*.1566 mewn rhestr enwog o enwau plwyfi Cymru, a **Modwellty** mewn casgliad o achau gan Gruffudd Hiraethog *c*.1550.

Awgryma hyn mai'r elfen **bod** 'cartrefle, tŷ' fel yn **preswyl-fod** yw'r elfen gyntaf sy'n gyffredin iawn yn y gogledd mewn enwau lleoedd fel Bodorgan, Bodewryd, Bodedern a.y.b. ac yn ôl pob tebyg Bedwenarth, Bodringallt, Y Watford (ger Caerffili, sef **y voteford** 1670, **y Bedfordd** 1717-89, **Bodford** 1738) yn y de.

Fel rheol, enw personol sy'n dilyn **bod** mewn enwau lleoedd. Gwyddom fod **Mellte** yn digwydd yn yr enw **Ystradfellte** ym Mrycheiniog. Yno, fodd bynnag, enw afon yw **Mellte**, sef **Meldou, Melltou** yn *Llyfr Llandaf,* ond gan fod enwau personol ar lawer iawn o nentydd ac afonydd, fel y dangosodd R.J. Thomas, tybed ai hynny a geir yma? Er nad yw'n enw cyfarwydd, ceir un enghraifft ohono ar glawr mewn hen destun lle dywedir bod un o ferched niferus Brychan Brycheiniog wedi ei chladdu *sub petra Meltheu* 'dan garreg Meltheu' ond mewn man anhysbys.

Nid cwbl afresymol, felly, fyddai ystyried yr enw personol **Mellteu** fel ail elfen **Bedwellte**. Aeth yn **Mellte** ar lafar. Ar ôl **bod**, treiglir y gytsain gyntaf i roi **Bod-fellte**, ac yna **f** ac **w** yn ymgyfnewid, eto ar lafar, (fel **cafod** a **cawod**) i roi **Bod-wellte** a **Bedwellte** wrth i'r llafariad **o** fynd yn **e** dan ddylanwad y ddwy **e** sy'n dilyn. Canlyniad tywyllu'r sillaf olaf ddiacen, a chydweddiad â'r gair cyffredin **tŷ**, mae'n siŵr, a gynhyrchodd y ffurf **Bedwellty.**

Byddai Syr Ifor Williams yn ein hatgoffa bod **Melld** i'w gael hefyd fel enw personol y gellir ei darddu o wreiddyn Celtaidd a roes yr hen air **mell** 'mwyn, addfwyn, hyfryd', ac yn cynnig mai hwnnw a geir yn yr enw **Mellteyrn** yn Llŷn.

G.O.P.

Blaenegel

Blaenegel Fawr yw enw'r fferm hon ar y map, ym mryndir eang plwyf Llangiwg ychydig i'r de o Wauncaegurwen a Chwmllynfell. Fel y mae enwau ei chymheiriaid cyfagos **Fforchegel a Rhydyregel** yn ei awgrymu, enw nant yw'r ail elfen **-egel**, a cheir y ffermydd hyn yng nghymdogaeth blaenddyfroedd Egel sy'n llifo i lawr i Glydach ger Rhyd-y-fro. Rhed y Glydach hon i Dawe ym Mhontardawe.

Yn ffodus iawn, cafodd yr enw **Egel** sylw'r Athro Melville Richards dros ugain mlynedd yn ôl bellach wrth drafod enw fferm ym Metws Garmon, Gwynedd, o'r enw **Regal**. Credai fod y ffurf yn dalfyriad o **Yr Egal**, amrywiad tafodieithol Arfon ar **Yr Egel**. Yr oedd ganddo dystiolaeth hefyd i enwau nifer o gaeau o'r un ffurf yn yr ardal honno.

Yn ddiweddarach, dangosodd yr Athro Bedwyr Lewis Jones nifer o enghreifftiau pellach, gan gynnwys y ffurfiau **Hegal, Hegyl** a **Hegla**, a thueddu i gredu mai gwreiddyn y rheiny oedd y gair **hegl**, lluosog **heglau** 'coes, clun, esgair' sy'n ymddangos mewn enwau lleoedd am iddynt gael eu harfer am 'rimyn o dir o siâp cyffelyb'.

Yn achos **Blaenegel** ac enw'r nant **Egel** ym mhlwyf Llangiwg, fodd bynnag, nid oes arlliw o'r **h-** ar y dechrau. Y mae nifer dda o bapurau stad Ynyscedwyn sy'n dyddio o tua 1556 i ddiwedd yr ail ganrif ar bymtheg yn cynnwys enw'r nant, a'r ffurfiau yw **Eg(g)le, Egele, Egel(l)** ac **Egel** (**Ecel** ar lafar Cwmtawe). Hefyd, ceir **Blaenegl** 1578, **Blaenegell** 1687, **Blaen-Egel** 1697, **Blaenegel** 1741, **Blanegal** 1772, 1783 a.y.b., ond y rhain eto heb yr **h-**.

Teg fyddai cytuno, felly, mai'r hyn a geir yn enw'r nant yw'r gair **egel** a ddiffinir yng *Ngeiriadur y Brifysgol* fel 'llysieuyn o rywogaeth y *Cyclamen* . . . y bwyty moch ei wreiddiau'. Yr enw Saesneg arno yw *sowbread*, ac fe'i ceir yn tyfu'n wyllt mewn perthi a choed.

Enwir lliaws o nentydd ac afonydd ar ôl enwau'r anifeiliaid neu'r planhigion a fynychai eu glannau, fel **Craf** (Crafnant, Abercraf), **Castan, Celynen, Cerdin, Dâr**, a'u tebyg.

G.O.P.

Bodffordd

Pentref nid nepell o Langefni ym Môn yw **Bodffordd**. Trefgordd ym mhlwyf Heneglwys ydoedd gynt a chan fod rhan helaeth o'r drefgordd ym meddiant Esgob Bangor, cafodd y rhan honno yr enwau **Bodffordd Ddeiniol** a **Bodffordd Esgob**. Cofnodwyd yr enw gyntaf yn 1346.

Ystyr y gair **bod** yw 'cartref, preswylfa' a dyma'r ystyr arferol hefyd mewn enwau lleoedd. Weithiau, fodd bynnag, gall olygu 'eglwys' megis yn yr enwau **Bodedern, Bodewryd** a **Bodferin**. Y mae enwau lleoedd sy'n cynnwys yr elfen **bod** yn hynod gyffredin yng ngogledd Cymru ond yn brin iawn yn y de. Cofnodwyd dros ddau gant o enwau yn cynnwys **bod** â dogfeniad iddynt cyn 1850 yn y gogledd. Ceir dros gant ohonynt ym Môn. Yn y mwayfrif mawr o achosion dilynir **bod** gan enw personol ac y mae'n bosibl weithiau i ddangos yn union pwy oedd y sawl a enwid. Dro arall dilynir **bod** gan enw cyffredin – enw topograffyddol neu enw anifail neu blanhigyn.

Ail elfen yr enw **Bodffordd** yw'r gair **ffordd** sy'n golygu *'road'* i ni heddiw. Fodd bynnag, benthycair yw **ffordd** o'r gair Saesneg *ford* 'rhyd', ond *'road, track'* oedd ystyr y gair **ffordd** o gyfnod cynnar iawn. Fodd bynnag, y mae un enghraifft o **ffordd** yn golygu 'rhyd' yn hysbys i mi. Yn un o'r hen gofnodion a geir yn *Llyfr Llandaf* sonnir am ffiniau plwyf Llanwarw, sir Fynwy. Y ffin gyntaf a nodir yw **y ffordd ar Droddi**. Enw afon yw **Troddi**. Ar ddiwedd y rhestr ffiniau enwir y llecyn eilwaith ond y geiriau a geir y tro hwn yw **y rhyd ar Droddi**.

Y mae'n berffaith bosibl felly mai 'rhyd' yw ystyr yr elfen **ffordd** yn yr enw **Bodffordd** gan fod yr enw yn hen ac mai ystyr yr enw yw 'cartref ger y rhyd' nid 'cartref ger y ffordd'. Yr oedd yna o leiaf un rhyd pur sylweddol ar gyrion pentref Bodffordd hyd ganol y bedwaredd ganrif ar bymtheg.

Dylwn dynnu sylw hefyd at ffurfiau Cymraeg nifer o enwau lleoedd Saesneg yng Nghymru a'r gororau sy'n cynnwys yr elfen Saesneg *ford*, sef **Henffordd**, (Hereford); **Hwlffordd**, (Haverford); **Pwlffordd**, (Pulford) a **Chwitffordd**, (Whitford).

T.R.

Bolgoed

Ceir nifer o enghreifftiau o'r enw hwn yng Nghymru ac y mae tair ohonynt ym Morgannwg. Y mae'n enw fferm ym mhlwyf Pendeulwyn – **Y Bolgoed** 1584, 1621-2 a.y.b. Rhwng Pont-lliw a Phontarddulais y mae **Bolgoed** arall: **Y Bolgoede** 1567, **bolgoed** 1584-5, sef **Boelgoed Isha** 1789 yn ôl pob tebyg, gyda **Bolgoed Uchaf**, **Bolgod Ycha** 1650, **Bolgoed Ycha** 1661, 1783. Yr oedd un arall ar yr Hirwaun ym mhlwyf Aberdâr y mae cofnodion hŷn amdani: **Bolchoyth** 1253, **Bolgoyth** 1256, **Bolgoid** 1536-9.

Cyfansawdd yw'r enw o'r elfen wrywaidd ddiddorol **bol** + **coed**, a'r ynganiad llafar cyffredin yw **bolgod** (cymharer fel y credid mai **Bargoed** oedd **Bargod**), ond nodwedd arbennig **bol** yw ei fod yn deillio o wreiddyn a roes y ffurf Geltaidd **bolg-** a allai gyfleu dwy ystyr wrthgyferbyniol – naill ai 'ceudod' neu 'chwydd, crymedd', a gellir ystyried y posibiliadau hyn wrth feddwl am ei ystyr mewn perthynas â'r corff dynol. O'i gymhwyso i ddisgrifio tirwedd, gall olygu 'pant, cors' neu 'fron, bryncyn' a'r cyffelyb, rhai coediog yn y cyswllt hwn, wrth gwrs. Ceir y ffurf dawtolegol **Brynbolgoed** yng Nglyn Tarell, Brycheiniog.

Ym Mhendeulwyn a phlwyf Llandeilo Tal-y-bont, 'bryn, cefn' sy'n gweddu. Dichon fod hynny'n bosibl hefyd ar yr Hirwaun er na ellir diystyru sefyllfa donnog neu bantiog, ond y ffurf luosog **bolion** sy'n gweddu orau i'r pwrpas hwnnw fel yn enw cwmwd **Talybolion**, Môn, lle ceir **Rhos-y-bol** a **Pen-bol** y cred Tomos Roberts mai 'tirwedd tonnog o fryniau isel a phantiau' a gyfleir ganddo.

Fodd bynnag, diddorol hefyd yw sylwi fod yr hen hynafiaethydd John Leland, wrth nodi'r enw ym mhlwyf Aberdâr, yn cynnig cyfieithiad ohono i'r Saesneg, *'the bely of the wood'* gan gredu, yn gywir fel y mae'n digwydd (er nad yw'n sylweddoli pa un yw'r brif elfen), fod a wnelo **bol** â'r Saesneg **belly**. Maent yn gytrasau, a chystal cofio yma mai **Bellimoor** yw enw'r lle ym mhlwyf Madley yn sir Henffordd a Chaerwrangon a elwir yn **Bolgros** (sef **bol** a **rhos** mewn orgraff ddiweddar) yn *Llyfr Llandaf*, ac sy'n cyfateb i **Rhos-y-bol** yn sir Fôn.

G.O.P.

Brynygynnen

Dyma enw nad yw bellach yn arferedig, ond y mae iddo hanes diddorol gan mai'r adeiladau presennol sy'n parhau'r cysylltiad â'r hen enw yw craidd Ysgol yr Eglwys Gadeiriol yn Llandaf.

Fe'i codwyd yn 1744-46 gan y llyngesydd Thomas Mathew, cynrychiolydd enwocaf ei ddydd o deulu Matheuaid Radur, ond fe'i hadeiladwyd ar ôl dymchwel maenordy hŷn y Matheuaid a safai mewn parc ar gefnen isel o dir i'r de-ddwyrain o Eglwys Gadeiriol Llandaf. David Mathew a sefydlodd hwnnw tua diwedd y bymthegfed ganrif, ac erbyn 1553 yr oedd maenor Llandaf wedi dod yn llwyr i feddiant y teulu.

Yn wir, yn 1536-39 yr oedd John Leland wedi sylwi ar yr adeilad (heb ei enwi) gan ddweud ei fod yn *'welle buildid'*, a'r hen hanesydd Rhys Amheurig o'r Cotrel sy'n dweud wrthym yn 1578 mai **Bryn y Gynnen** oedd ei enw. Ategir hynny mewn cyfeiriad beth amser wedi tynnu'r hen dŷ i lawr, **Bryn y gynen** 1752.

Fel *Llandaff Court* yr adwaenid y tŷ newydd (cymar, efallai, i gartref y teulu, *Radur Court*) a cheir darlun ohono ar odre map John Speed o sir Forgannwg yn 1611.

Yn 1850 daeth yn *Bishop's Court* pan addaswyd ef (gan ychwanegu capel bychan ato) fel preswylfod Esgob Llandaf (Alfred Ollivant ar y pryd) a cheir cyfeiriadau cyson ato fel **Llys Esgob**. Bu raid cyweirio'r to a'r llawr ar ôl difrod tân yn 1914 ac erbyn 1939 peidiodd â bod yn gartref i'r esgobion nes ei ehangu a dod yn Ysgol Eglwys Gadeiriol Llandaf yn 1958.

Fel y nodwyd uchod, prin iawn yw'r cyfeiriadau at yr hen enw **Brynygynnen** fel mai anodd yw bod yn gwbl sicr ai hon oedd ei ffurf wreiddiol. Fel y saif, gellir ei ddeall fel **bryn** + y gair **cynnen** 'anghydfod, dadl, cweryl', benthyciad o'r Lladin *contendo*, i gyfeirio at dir y bu dadlau ac anghytundeb yn ei gylch rywbryd. Y mae enwau tebyg i'w cael ar hyd a lled y wlad, fel **Rhos Ymryson**, **Bryn Dadlau**, **Clun(y)dadlau**, gan gynnwys **Trehwbwb** a **Cwmwbwb** yn y Fro.

G.O.P.

Cae'rarfau

Caeyrarfau yw ffurf yr enw hwn ar fap Swyddfa'r Ordnans. Tŷ sylweddol yw bellach, ond ffermdy ar gyrion gogleddol pentref Creigiau ym mhlwyf Pen-tyrch, Morgannwg a charreg yn ei fur â'r dyddiad 1672 arni ydoedd gynt. Fe ymddengys fod y ffurf yn deillio o gyfnod y map modfedd-i'r-filltir cyntaf o'r ardal a gyhoeddwyd yn 1833, lle ceir **Caeyrarfa**.

Nid oes llawer o le i amau mai geirdarddiaeth boblogaidd sydd i gyfrif am y ffurf hon, gan mai hawdd yw creu'r argraff fod a wnelo'r elfen olaf **arfau** â brwydro, ac mewn cysylltiad â'r elfen gyntaf **cae** mai maes brwydr neu rywbeth cyffelyb a goffeir yn yr enw.

Er nad oes dim cysylltiad ag unrhyw ddigwyddiad felly y gellir ei brofi, rhoddir rhaff i'r dychymyg poblogaidd, efallai, o sylweddoli bod yno hefyd dri o feini sy'n ffurfio siambr fechan y cred yr arbenigwyr eu bod yn rhan o feddrod cynnar o Oes y Cerrig. Yn wir, **Cae'rarfau** yw'r ffurf a arferir yn adroddiadau'r Comisiwn Henebau.

Fodd bynnag, y ffaith na ellir ei hanwybyddu yw nad oes yr un o'r lliaws ffurfiau a gasglwyd yn awgrymu mai **arfau** yw ail elfen yr enw. **Caer yrva** 1570, **Karyrva, Kaeryrva** 1639-40, **Cae'rurva** 1650, **Kaer Erva** 1666, **Kaer yrva** 1689, **Caryrva** 1735 ac yn y blaen. **Cae'ryrfa**, mae'n amlwg, yw'r ffurf gysefin, ac y mae'r enw yn dwyn i gof enwau fel **Tiryryrfa** a **Rhosyryrfa** (Gelli-gaer), **Pantyryrfa** (Henllys, Gwent), **Llannerchyrfa** (Llanfihangel Abergwesyn) a'u tebyg.

Y broblem yw penderfynu ystyr **gyrfa** yn y cyswllt hwn.

Mewn ymadroddion cyffredin y mae'n golygu 'cwrs, hynt, rhawd', neu'r yrfa honno y mae'r cawr yn ei rhedeg yn y Salm, neu faes rhedeg hyd yn oed. Nid amhosibl yr ystyr olaf yna. Ai hynny sydd yn enw Ysgol Gyfun **Maes-yr-yrfa** yng Nghefneithin?

Go brin hynny, efallai, fel enw cae ar ddaliad o dir lled anghysbell gynt. Ai gwell, tybed, fyddai'r ystyr a geir i'r gair mewn un fersiwn o'r hen gyfreithiau Cymraeg, 'gyr, praidd', fel y mae Edward James yn ei ddefnyddio yn un o'i homilïau – 'gyrfâu o ychen a gwartheg'?

G.O.P.

Caerffili

Ni ellir canfod ffurfiau o'r enw **Caerffili** ar glawr cyn dyddiad cofnod mewn hen gronicl sy'n nodi fod Gilbert de Clare wedi codi ei gastell cyntaf yno yn 1268, ac ni cheir ffurf ddogfennol benodol hyd 1271 pan geir **Kaerfili** fel enw'r amlwd ger y castell.

Prin fod lle i amau, fodd bynnag, fod yr enw'n hŷn na hynny gan mai yma yr oedd canolfan hen gwmwd Senghennydd is Caeach. Barn un hanesydd oedd y gallai llys y cwmwd fod wedi ei leoli ar, neu ger safle'r hen gaer Rufeinig gynt a ddarganfuwyd yng nghyffiniau'r castell diweddarach.

Hyn, fe ddichon, sy'n egluro fod **caer** yn digwydd fel elfen gyntaf yr enw, ond nid oes dim pendant i'n cynorthwyo i ddatrys problem ddyrys ffurf ac ystyr yr ail elfen, **-ffili**.

Hyd yma, y gred gyffredinol yw mai enw personol yw **Ffili** gyda'r duedd i feddwl amdano fel un o seintiau'r Eglwys Gynnar. Ni ellir gwadu bodolaeth sant o'r un enw, sef nawddsant plwyf **Philleigh** yng Nghernyw (**Sanctus Filius** 1312, **Fily** 1450, **Phillie** 1613, yn ôl Oliver Padel), ond nid oes unrhyw gysegriad arall iddo'n wybyddus.

Myn rhai fod enwau lleoedd yn Llydaw sy'n cynnwys yr enw **Ffili** fel elfen a bod cysylltiad rhyngddo a'r sant Gildas, a hwnnw'n dad i **Cenydd**, a dyna roi sbardun i'r gred am gysylltiad Cenydd ag ardal Caerffili.

Hynod ansicr ac anodd, onid amhosibl ar hyn o bryd, yw profi'r cysylltiad hwn ond nid yw hynny'n rhwystr i'r sawl sydd â'i fryd ar ddweud wrthych mai **Saint Cenydd** (yn y ffurf Saesneg yna) yw sail enw'r cwmwd Cymraeg hynafol **Senghennydd**, a dyna'r cylch yn gyflawn a phopeth wedi ei esbonio'n daclus! **Cenydd** piau hi yng Nghaerffili. **Trecenydd**, **Bryncenydd**, *St Cenydd Road, St Cenydd Close* a.y.b. yw'r enwau lleol nodweddiadol, ac fe enwir ysgol uwchradd hefyd ar ei ôl.

Cyfeiliorniad llwyr yw credu bod a wnelo'r enw **Senghennydd** â **Cenydd** lle y mae ffurf yr enw yn y cwestiwn, ond y mae cysylltiad honedig **Ffili** â'r ardal wedi chwarae rhan sylweddol yn y gred honno.

Yn wir, os oes unrhyw wirionedd yn y syniad mai un o'r seintiau cynnar oedd **Ffili**, a yw'n debyg fod i ŵr eglwysig o Gymro gysylltiad mor glòs â lleoliad caer Rufeinig nes ei galw wrth ei enw, yn hytrach na **llan** neu **eglwys**? Saif ym mhlwyf **Eglwysilan**.

G.O.P.

Castell-y-dryw

Ger Llantriddyd ym Mro Morgannwg ceir **Wren's Castle** ar fap yr Ordnans fel enw fferm ar fin y ffordd sy'n rhedeg i Lanilltud Fawr. Camgymeriad yw hwn gan mai cyfieithiad Saesneg ydyw o'r ffurf Gymraeg **Castell-y-dryw** sy'n cyfeirio at adfeilion ffermdy o'r enw **Horseland**. Yn y ddeunawfed ganrif, safai hwn ar adfeilion hŷn maenordy ac iddo ffos amddiffynnol o'i gwmpas, ond nid oes dim tystiolaeth ddogfennol wedi goroesi i ddweud mwy wrthym am ei hanes a'i gysylltiadau.

Mae'n amlwg mai'r enw llafar poblogaidd ar yr adfeilion hyn yw **Castell-y-dryw**, ond y mae ar batrwm enwau a roir fel enwau gwawdiol ar leoedd a welodd gynt rwysg trigolion cefnog ond sydd bellach yn garneddau di-nod. Neu, wrth gwrs, y gwrthwyneb, sef rhoi enw ar le distadl i godi ei statws mewn gwawd.

Y cyntaf sydd yma, ac fe ellir ei gymharu â lliaws o rai tebyg. Heb fod ymhell iawn mae **Castellymwnws** ger Llanhari, gyda **mwnws** 'llwch, rwbel, malurion' fel ail elfen; hefyd **Cwrtymwnws** ger Casnewydd yng Ngwent a hen ffermdy arall o'r un enw ger Maesteg yn Nyffryn Llynfi.

Ym Mhenfro, nodir **Castell Crychydd** (os **crychydd**, 'creyr glas' yw'r ail elfen), **Castell Meherin** (**myharen, maharen**), **Castell-y-frân** a'u tebyg gan Dr B.G. Charles, ond dylid sylwi ar a ddywed ef am **castell** fel term poblogaidd weithiau am olion amddiffynnol mewn enwau heb unrhyw gais i fod yn wawdiol, a lle ceir ail elfen sy'n dynodi perchenogaeth, lliw, lleoliad a.y.b. Enwau anifeiliaid ac adar yw'r elfennau mwyaf niferus mewn enwau gwawdiol, fel yn **Castell-y-bwch** (Gwent), **Castell-y-geifr** (Brycheiniog a Cheredigion) a **Castell-y-blaidd** (Maesyfed).

Ceir enwau ar yr un patrwm yn Lloegr. Fel y dywedodd un ysgolhaig, *'given to places where ruined vestiges of ancient buildings or defences were seen . . . bats, rats, frogs, owls and sparrows have succeeded to the seats of the mighty'* a cheir nifer sylweddol o enwau fel *Rat's castle, Owl's Castle, Bat's castle* a *Spider's Castle* (sy'n cyfateb i **Castell Corryn** ym mhlwyf Llantrisant) i ategu hynny.

Ym mhlwyf Saint Andras yr oedd enw cae, **Ffrogell**, y mae ei ffurfiau cynnar o blaid ei ddeall fel y Saesneg *frog* 'llyffant' + *hall*, ffurf a geir yn Lloegr am safle anghyfannedd ar dir gwlyb a chorsiog. Hefyd, ger eglwys y plwyf yr oedd hen dyddyn a thafarn o'r enw **Twlc-yr-hwch** ond a ymddengys fel *Sow's Hall* yn 1798.

G.O.P.

Cefn Betingau

Gofynnodd amryw imi roi sylw i enw'r fferm hon a saif ar gefnen o dir uwch un o ragnentydd afon Llan (y Lliw Eithaf gynt) ym mhlwyf Llangyfelach ger Abertawe. Yr ail elfen yn yr enw, wrth gwrs, sy'n ennyn chwilfrydedd ein holwyr, a chystal nodi ar y dechrau fod cysylltiad rhyngddi hefyd ac enw dwy fferm yn eithafoedd gogleddol plwyf cyfagos Llangiwg, y **Beting Uchaf** a'r **Isaf**.

Er bod yr elfen **betingau**, fel y ceir hi heddiw ar y map, yn ymddangos fel pe bai'n ffurf luosog gyda'r terfyniad **-au**, y mae lle i amau hynny o sylwi ar ffurfiau cynharach yr enw: **Buttingveth** 16ganr., **Betting-va issa**, ac **ycha** 1650, **Keven betinge ycha** 1668-9, **Keven-bettingvey issa** 1693, **(Mellin) Bettingveth** 1695, 1756. Dichon mai'r **-fa** terfynol cyffredin oedd yma yn wreiddiol yn yr ystyr 'lle, man', ac i hwnnw fynd yn aneglur fel sillaf olaf ddiacen ar lafar nes cael ei seinio fel **-e**, **-a**, a'i 'adfer' fel **-au**.

Term pur adnabyddus yw **betin**, **beting**, sy'n gyffredin yn y de, ac yn y ffurf **batin**, **bating**, ym mharthau gogleddol y wlad. Gair ydyw a fenthyciwyd o'r Saesneg Canol *bete*, Saesneg Diweddar *beat*, a'r ffurf *beating* a welir mewn enwau caeau yn bennaf yn neheudir Lloegr ac yn arbennig yn Nyfnaint er y bedwaredd ganrif ar ddeg mewn enwau fel *Beatland(s)* gydag eco ym Mhenrhyn Gŵyr, *Bettland* 1665, *Bett-lands* 1696 yn Reynoldston ac Ystumllwynarth. Cyfeirio y mae at y broses o sleisio tywyrch â haearn gwthio neu aradr frest (*pared turf* y Sais) i'w llosgi er mwyn gwasgaru'r llwch ar wyneb y tir fel gwrtaith.

Yn y de ceir y ffurf **bieting** (a hefyd ym Mhowys yn ôl *Geiriadur y Brifysgol*) ac fe welir y ffurf honno ymhlith y rhai a gasglwyd o enw fferm y **Beting** ym mhlwyf Llangiwg: **ebietyng** 1513, **y Byetting** 1547, **Tir y Byetting** 1751, **Bietting** 1791.

Fe'i ceir mewn amryw o enwau caeau ym Morgannwg, **Kae r bettinge** 1630 ym mhlwyf Llanfabon a.y.b., ac mewn nodyn rai blynyddoedd yn ôl bellach cyfeiriodd yr hen gyfaill Bedwyr Lewis Jones at enwau fel **Parc y Beting** yn Llangynog ger Caerfyrddin; **Batinge** (**Batingau** eto?) yn ardal y Gyffylliog ger Rhuthun; **Y Betyn** yn Llangoed, Môn; a **Chae'r Batin** yn Llandygái. Ond y mwyaf diddorol ohonynt yw **Cae Abaty**, pwnc y nodyn, yn Ninas Mawddwy, lle mae'n dra thebyg mai'r ffurf wreiddiol oedd **Cae Batin(g)** a aeth yn **Cae Batyn** a **Chae Abaty** ar lafar.

Heblaw'r ferf **betingo**, a'r enw **betingwr**, cafwyd **betingaib** am yr erfyn a ddefnyddid wrth y gorchwyl mewn cwpled gan yr hen fardd Dafydd Benwyn a oedd yn fyw yn ail hanner yr unfed ganrif ar bymtheg.

G.O.P.

Ceint

Bellach, ardal wledig fechan – clwstwr o ffermydd a thai ym mhlwyf Llanffinan, nid nepell o Langefni ym Môn yw **Ceint**. Fodd bynnag, yn negawdau cynnar yr ugeinfed ganrif rhedai'r rheilffordd o Bentreberw i Bentraeth drwy'r fro ac yr oedd gorsaf yng Ngheint. Heb fod ymhell i ffwrdd yr oedd gorsaf arall gyda'r enw hudolus Rhyd-y-saint.

Ymddengys mai enw afon oedd **Ceint** yn wreiddiol – afon a nodai'r ffin rhwng plwyfi Llanffinan a Phenmynydd a hefyd y ffin rhwng cymydau Menai a Dindaethwy. Cofnodwyd yr enw gyntaf yn 1578 ac y mae lle i gredu fod yna gysylltiad rhwng **Ceint** a'r enwau **Kent** a **Canterbury** yn ne-ddwyrain Lloegr. Credir bod yr enwau hyn yn deillio o'r bôn Celtaidd **kantho-*, 'congl, tro' ac efallai 'ymyl' a roddodd i ni y gair Cymraeg **cant** 'ymyl olwyn, cylch am olwyn'. Diau hefyd fod cysylltiad rhwng y gair **cant** a'r gair **canllaw**, *rail, handrail*. Credir hefyd fod yr enw **Kent** 'Caint' yn cyfeirio at arfordir de-ddwyrain Lloegr – ymyl neu gongl de-ddwyrain Ynys Prydain fel petai.

Yn yr un modd credaf fod yr enw **Ceint** ym Môn yn cyfeirio at y ffin rhwng cymydau Menai a Dindaethwy gan fod afon Ceint yn nodi'r ffin honno. Heb fod ymhell i ffwrdd ym Mhorthaethwy ger glannau afon Menai saif **Ynys Gaint**. Cofnodwyd yr enw hwn gyntaf yn 1751. Eto credaf ei fod yn cyfeirio at lan y culfor neu arfordir de-ddwyreiniol Môn. Felly ym mhob achos y mae'r enwau **Ceint**, **Caint** ac **Ynys Gaint** yn cyfeirio at ymyl, ffin, tro neu arfordir. Dylwn ychwanegu hefyd fod cryn dro yn afon Ceint fel y llifa heibio safle'r hen orsaf.

T.R.

Coedymwstwr

Cynhaliwyd Eisteddfod Genedlaethol Cymru, Bro Ogwr 1998 ar faes sydd yng nghysgod bryncyn coediog ac arno olion hynafol, yn arbennig hen fryngaer o Oes yr Haearn ar ei gopa. Y mae holl batrwm deiliadaeth y gymuned a fu'n byw yn yr ardal dros y canrifoedd yn hynafol ac y mae lle i gredu fod enw Cymraeg y plwyf, Llangrallo, yn dynodi sefydliad eglwysig cynnar a chyn-Normanaidd fel y profir gan weddillion dwy groesfaen o'r ddegfed ganrif a ddarganfuwyd ym mynwent yr hen eglwys blwyf.

Ardal goediog oedd hon. Wedi dyfodiad y Normaniaid, rhoddwyd enw hanner Cymraeg a hanner Saesneg ar y plwyf, sef *Coychurch* (*Coytechurch* 1291), i fynd gyda'r enwau lleol Pen-coed, Tor-coed, Coedypebyll, Prysg, a Coety, ac yn glwstwr ar lechweddau'r bryncyn yr oedd tair fferm yn dwyn yr enw **Coedymwstwr**, y **Ganol**, yr **Isaf** (neu **Bach** ar un adeg) a'r **Uchaf**, a hefyd dŷ cyfrifol, **Plas Coedymwstwr** (*Great Coed Mwstwr* yn 1807) a adferwyd gan A.J. Williams, yr Aelod Seneddol dros dde Morgannwg 1885-95, ac sydd bellach yn westy adnabyddus y byddai archwaethwyr eisteddfodol profiadol yn siŵr o fod wedi ei fynychu!

Yr elfen arwyddocaol yn yr enw, fodd bynnag, yw'r ail. Ar sail tystiolaeth ieithegol gymharol fe ymddengys mai ffurf lafar yw **mwstwr** yma, trwy ffurf fel **mystwr**, ar yr hen air Cymraeg **mystwyr** sydd bellach yn anarferedig.

Daw hwn yn rheolaidd o'r ffurf Ladin sathredig *mon'sterium*, yn wreiddiol *monastērium*, a roes y Saesneg *minster*, Ffrangeg *moutier*, Llydaweg *moustoer*, Gwyddeleg *mainister*, ond ni ddylid meddwl am fynachlog ganoloesol fawr wrth ystyried yr hyn a olygir yma. Yn hytrach, cyfeirir yn ôl pob tebyg at gell fechan y cyfnod Cristnogol cynnar sy'n cydweddu'n synhwyrol â chyfnod posibl dechreuad Llangrallo fel y cyfryw. Y cwestiwn na ellir ei ateb ar hyn o bryd yw ai at Langrallo y cyfeirir (a oedd yma **glas**?) ynteu at sefydliad arall?

Cafwyd un cyfeiriad diddorol, sef mai **Cae'r ffunnon** oedd enw un o gaeau Coedymwstwr Ganol ar fap stad Dwn-rhefn yn 1778, gyda'r ffynnon ei hunan yn cael ei dangos fel **Funnon-y-Munalog** (Ffynnon y fynachlog). Pa fynachlog tybed?

Er cymaint yr ansicrwydd ynglŷn â'r sefydliad cynnar y gall yr enw fod yn cyfeirio ato, y mae'r dystiolaeth am fodolaeth **mystwyr, mwstwr,** fel elfen mewn enwau lleoedd yn cynyddu. Hyn, yn sicr, yw'r esboniad ar **Mwstwr**, enw'r drefgordd ym mhlwyf Corwen, a **Mathenni Mystwyr Mawr** (mewn orgraff ddiweddar) yw Llandenni, Gwent yn *Llyfr Llandaf*.

Y mae enghreifftiau eraill hefyd yn dechrau dod i'r golwg.

Nid **mwstwr** 'sŵn, cyffro, cynnwrf' na 'cynulliad o filwyr' a geir yma, felly, ond arlliw o hen sefydliad eglwysig na allwn, hyd yma, ei enwi.

G.O.P.

Cold Knap

Dyma enw pur adnabyddus ar y trwyn o dir sy'n ymestyn i'r môr ar ochr orllewinol hen harbwr y Barri. Bu peth cwyno unwaith fod yr ansoddair *cold* yn adlewyrchu'n anffafriol ar ardal sy'n dibynnu cryn dipyn ar ei diwydiant ymwelwyr. Yn wir, at *the Knap*, yn syml, y cyfeiria'r trigolion lleol gan mwyaf.

Ffurf Saesneg ydyw yma, ac nid ffurf sy'n deillio o wreiddyn Sgandinafaidd fel y credai rhai gynt, gyda *knap* yn ffurf ddiweddar ar yr Hen Saesneg *cnaepp* 'codiad tir, copa, bryncyn', er y ceir y benthyciad Cymraeg **cnap** mewn enwau fel **Cnap Coch** (Llansamlet), **Cnap llwyd** (Llangyfelach) lle'r yngenir y gytsain gyntaf fel ag a wneir mewn benthyciadau eraill tebyg eu tarddiad, fel **cnaf, cnoc**, a.y.b.

Fodd bynnag, er bod *Colde Knapp* i'w gael fel ffurf ar yr enw mor gynnar â 1622, y mae tystiolaeth bur gadarn o blaid amau dilysrwydd presenoldeb yr ansoddair *cold* yn y ffurf wreiddiol.

Ar y tir hwn yr oedd fferm, ac yn y ddogfen a nodwyd uchod yn 1622 enw'r fferm neu'r adeilad oedd *The Coale*, a cheir cyfeiriad cysylltiol at *Colehole*. Wedi hynny, yn arbennig ar fapiau a rhestrau stadau lleol, cadarnheir y ffurf hon fel elfen yn enw'r fferm a'r tir y safai arno: *The Cole Farm* 1705, 1713, *Coal knap c.*1780, *Coal Ffarm* 1789, *Cole Farm c.*1812. Mewn un llawysgrif fe geir **Côl, wrth Barri** gan Iolo Morganwg yn 1786, lle nad oes achos i'w amau!

Effaith geirdarddiaeth boblogaidd ar enw safle uwchben y môr yw'r *cold*, y mae'n amlwg, ac ar fap stad Gwenfô yn 1762 dangosir nifer o lecynnau a enwir yn *coal-pits* yng nghyffiniau'r fferm. Dyma gadarnhau *Colehole* 1622, a'r cyfeiriad yn amlwg nid at byllau glo yn yr ystyr fodern, ond at lecynnau lle cynhyrchid golosg neu siarcol. Fel rheol, gwneid hyn mewn pantiau lle gosodid hydau penodol o goed mewn dull arbennig i losgi'n araf, ac nid yn ulw.

Y mae tystiolaeth i'r defnydd o'r gair Cymraeg **glo** gael ei ddefnyddio gyda'r un ystyr mewn enwau lleoedd – yn arbennig **Cwm-y-glo** ger Llanberis, a hefyd fel elfen gyntaf **Gloddaith** ger Llandudno.

G.O.P.

Cortwn

Gwenni fach o Gortwn,
Sant-y-brid a Nortwn,
Ffontygari, Sant Hilari,
Ffonmon a Silstwn.

Dyna un o hen dribannau Morgannwg sy'n rhestru rhai o enwau lleoedd y Fro. Cynhelir y brif odl gan ffurf Gymraeg lafar y de ar yr ail elfen Saesneg *-ton* 'treflan, pentref', sef **-twn** yn yr enwau Cortwn, Nortwn a Silstwn.

Norton a *Gileston* yw ffurfiau gwreiddiol y ddau olaf, a'r ffurf lafar Gymraeg ar yr enw a sillefir yn awr fel *Corntown* ger Ewenni yw **Cortwn** (nid **Corntwn**, sylwer, fel yr awgrymir yng *Ngeiriadur yr Academi*). Collir **-n-** yma yn y cyfuniad **-rn-** mewn Cymreigiad, fel yn **tyrpeg** am *turnpike*.

Yn naturiol, fe gamesboniwyd yr enw fel pe bai'n gyfansawdd o'r elfennau Saesneg *corn* 'grawn, ŷd' a *-ton* (*town*), ond er dweud hynny'n bur ffyddiog, fe erys ansicrwydd ynglŷn â'r gwir ystyr.

Gellir dweud hyn. Nid *-ton* oedd ffurf wreiddiol yr ail elfen ond yr Hen Saesneg *dūn* 'bryn, tir uchel', sef *down* mewn Saesneg Diweddar.

Yn ail, nid gair unsill fel *corn* oedd yr elfen gyntaf, ond gair deusill. Dangosir hyn gan ffurfiau cynharaf yr enw sydd ar gael: *Corundone, Corendone* 1226-9, *Corend(on) c.*1260, *Corndune* 1262, *Coryndown* 1459. O 1471 ymlaen ceir *Corntoun.*

Os mai Saesneg yw'r elfen gyntaf, y mae'n bur anodd dod o hyd iddi, ond mewn ardal gymysg ei hiaith nid afresymol fyddai ystyried y gallasai fod yn Gymraeg, o gofio am enwau sy'n gyfansawdd o elfennau cyfystyr yn y ddwy iaith, fel **Bryndown** a **Brynhill**, sydd i'w cael yn y Fro.

Fe gynigiwyd **corun** 'copa, pen' (o'r Lladin *corōna*) fel posibilrwydd, ac fe ddylem oedi gyda hwn. O ystyried enw fel *Corringdon* yn Nyfnaint sydd ac iddo'r ffurf gynnar *Correndon*, ac yn arbennig *Corndon Hill* ym mhlwyf Hyssington yn yr hen sir Drefaldwyn, sef *Corendon* 1275, a *Korundon* 1378 (a sylwer ar yr ychwanegiad pellach at yr enw, *-hill*), fe ddichon y gallwn wrthod unrhyw berthynas ag ŷd a grawn.

G.O.P.

Craigybwldan

Ychydig i'r de o Waunarlwydd, ar lethrau'r gefnen sy'n rhedeg o ardal y Cocket ar gyrion Abertawe ac sy'n rhoi'r enw Cefn-coed i amryw fannau yn y cyffiniau, fe saif hen ffermdy **Craigybwldan**.

Y mae cyfeiriadau ato i'w cael o'r unfed ganrif ar bymtheg ymlaen: **Grayg boulden** 1583, **Graige y bwlden** 1650, **Graig y bulden** 1754, **Graig y Buldan** 1764 a.y.b., ac ail elfen yr enw sy'n achosi penbleth i'r sawl a ofynnodd am esboniad arno.

Y mae **craig** yn amlwg ond i ni gofio nad oes raid i'r gair olygu 'clogwyn, clogfaen' neu 'grynswth caregog' bob amser mewn enw lle. Gall gyfeirio at ansawdd y tir lle mae'r graig yn ymwthio i'r wyneb. Yn wir, ger y llecyn hwn y mae hen chwareli, yn ogystal â hen lofa Caergynydd.

Ond beth am yr ail elfen – **bwldan**? Bellach, gellir ateb yn weddol ffyddiog, sef mai ffurf ydyw ar hen gyfenw teuluol anghyfiaith – Saesneg yn yr achos hwn – er nad oes cofnod gen i o gysylltiad uniongyrchol teulu o'r enw hwnnw â'r lle. Ond yn 1553, yn ewyllys Philip Mawnsel o Landdewi yng Ngŵyr, nodir fod gŵr o'r enw Nicholas **Bulden** mewn dyled o ugain swllt i'r ymadawedig. Dyna dystiolaeth resymol i fodolaeth gymharol leol y cyfenw.

Yn ogystal, gall mai ffurf amrywiol ar yr enw yw **Craigybwldan** gan fod **Alte Buldan** i'w gael hefyd yn 1583, a mwy amlwg yw'r ffurf honno na'r llall yn yr unfed ganrif ar bymtheg: **Alkt Boulden** 1585, **Alt Buldan** 1590 a.y.b.

Gall **allt** olygu 'tir serth, garw' hefyd, wrth gwrs, er mai 'llechwedd coediog' ydyw fynychaf yn y de ac y mae hen fap Ordnans chwe modfedd 1884 yn dal i ddangos natur goediog y llethrau hyn cyn eu dinoethi.

Dylid nodi hefyd y defnydd a wneir o'r fannod Gymraeg yn aml (er nad bob amser) mewn enw fel hwn lle ceir enw personol neu gyfenw anghyfiaith ynddo i ddangos meddiant. Ym Morgannwg ceir **Coed y Cradock** (Llancarfan), **Tir y Barnard** (Llantrisant), **Tir y Byrbais** (**Bryn Byrbais** erbyn hyn, lle ceir y cyfenw **Burbage**, yn Llanilltud Faerdre), **Tir y bwhayen** (sef **Bohun**, Sain Ffagan) a.y.b. Ac fel y dangosodd Dr B.G. Charles, niferus yw enwau tebyg yn sir Benfro, fel **Parc-y-prat**, **Coed y Devonald**, a **Pant y Philip**, heb chwilio ymhellach.

G.O.P.

Cwm Talwg

Fe sylwyd fwy nag unwaith ar amrywiaeth yr elfennau a geir mewn enwau lleoedd ar ôl **rhyd** *'ford'* fel elfen gyntaf. Un ohonynt yw'r ansoddair sy'n awgrymu'r defnydd cyson a wneid o ambell ryd nes bod y dŵr ynddi wedi ei ddifwyno, yn lleidiog, yn **halog** 'budr, brwnt, aflan'.

Digwydd yr enw **Rhydhalog** yn fynych yng Nghymru, ac ar lafar gwlad yr oedd **h-** ar ddechrau'r ail elfen yn caledu'r **d-** ar ddiwedd **rhyd**, fel sy'n digwydd mewn cynghanedd, gan roi **Rhytalog**.

Ar gyrion gorllewinol y Barri mae dwy nant fechan yn llifo i lawr i Barc Gwledig Porthceri. Un ohonynt yw'r nant a roes yr enw **Cwmcidi** i'r dyffryn y rhed trwyddo, enw a dadogwyd fel enw amlwd diflanedig bellach ger safle ffermdy presennol Cwmcidi ar dir uwch cyfagos, ac eglwys blwyfol fechan heb fod nepell o'r fan.

Er mai **Cidi**, y mae'n bur amlwg, oedd enw'r nant (cyfeirir at ei cheg gan John Leland [1536-9] fel *Kiddey mouth*), ei henw ar y mapiau heddiw yw **Nant Talwg**, ac fel canlyniad enwyd y dyffryn yn ddiweddarach yn **Gwm Talwg**. Ond trwy amryfusedd y digwyddodd hyn a gresyn iddo ddod hefyd yn enw un o ardaloedd trefol y Barri, gyda *Nant Talwg Way* yn enw un o'r strydoedd.

Rhed y nant i lawr o'i tharddiad ym mhlwyf Merthyr Dyfan ac fe gaiff ei chroesi heddiw gan y ffordd fawr, *Pontypridd Road* (y B4266). Er na ellir bod yn bendant ar hyn, dichon mai at ragflaenydd y ffordd y cyfeirir fel *Redhollocke Lane* neu *Redhollocke Waye* yn 1622, am fod rhyd ar y nant lle croesai'r ffordd hi a phrysurdeb ei thrafnidiaeth yn halogi'r dŵr gan roi iddi'r enw **Rhyd-halog**. Ceir rhagor o dystiolaeth i'r ffurf hon ar enw'r ffordd ym mhapurau stadau Ffon-mon a Gwenfô yn 1762 a 1763, *Retalog Lane* yn 1778, *Retailock* 1783, a *Rhyd Hay lock* fel enw cae ger y ffordd ar ddechrau'r bedwaredd ganrif ar bymtheg.

Awgrymaf mai ffurfiau sy'n dwyn ôl ymyrraeth ysgrifenwyr di-Gymraeg â **Rhydhalog** neu **Rhytalog** a welir yma fel enw'r man lle croesai'r ffordd gynnar nant **Cidi.** Cam diweddarach, mae'n amlwg, oedd credu mai enw'r nant oedd yr ail elfen **-talog** yn yr ynganiad llafar, gyda **-talwg** yn amrywiad llafar pellach, i roi **Nant Talwg** a **Chwm Talwg** ar y mapiau.

G.O.P.

Cwrt-y-fil

Ffermdy ar gyrion deheuol Penarth oedd Cwrt-y-fil y ceir atgof ohono yn enw'r *Cwrt-y-vil Road* presennol. Yr hyn sy'n rhywfaint o ddirgelwch yw fod hen fap chwe modfedd yr Ordnans yn dangos *Cwrt-y-vil Castle* y tu cefn i'r ffermdy nad oes dim o'i hanes ar gael.

Go brin mai castell cydnabyddedig oedd hwn. Y mae traddodiad pur ddygn yn priodoli iddo gysylltiad eglwysig: *'a ruin, now converted into a barn, which was formerly a chantry chapel'* yw cynnig Samuel Lewis (1843), a chyfeirio (dan ddylanwad ysgrifeniadau Iolo Morganwg) at gôr eglwysig hynafol a wna Dafydd Morganwg yntau (1874). Hefyd, mewn hen drethiant *c.*1291, cyfeirir at 'gapel' a oedd yn gysylltiedig â Phenarth.

Y mae'n wybyddus fod 'maenor' Penarth wedi dod i feddiant Abaty Sant Awstin, Bryste, cyn 1183, ac erbyn 1540 ceir cyfeiriad at *Canon Court* yno fel *site of the mannour and Barton*. Cadarnheir y *Barton called Cannon Court* ym mhapurau stad Iarll Plymouth yn 1745-52. Dichon fod yr elfen *canon* rywfodd yn ategu cysylltiad eglwysig yma, ac yn sicr, ystyr *barton* (sy'n digwydd yn gyson fel enw lle ar ei ben ei hun yn Lloegr) oedd 'fferm allanol lle cedwid grawn' (haidd, yn arbennig), Hen Saesneg *bere-tun*.

Dyma'r math o sefydliad a adwaenir hefyd wrth y term Saesneg *grange*, ac yng Nghymru un o nodweddion amlwg eu henwau Cymraeg oedd y defnydd o'r gair **cwrt**, Saesneg *court*, yn yr enwau hynny: **Cwrtrhydhir, Cwrt-sart, Cwrtycarnau, Cwrtybetws** a.y.b. a'm cynnig petrus i yw mai dyma'r math o **gwrt** a geir yn yr enw **Cwrt-y-fil**.

Ond beth am yr ail elfen? Yn anffodus, *c.*1700 yw dyddiad y ffurf gynharaf o'r enw a welwyd hyd yma, sef **Courtyvill, Court-y-Vill** yna **Court a Vill** 1787, ac efallai yn bwysicach **Courtfield** 1789, 1793, **Courtefield** 1790. Y ffurf a ddefnyddiai Iolo Morganwg oedd **Courtville** 1799, heb geisio ei Chymreigio, sylwer, ac fel y pwysleisiai'r diweddar Athro G.J. Williams yn gyson, pan na cheisiai Iolo lurgunio ffurf enw lle i'w bwrpas ei hun, gellir derbyn iddo fod yn defnyddio ffurf yr enw a glywodd ar lafar gwlad.

Y mae amryw o enwau Saesneg ym Mro Morgannwg sydd â'u helfen olaf mewn *-field* yn cael eu seinio'n *-ville* dan ddylanwad tafodiaith de-orllewin Lloegr, fel *Vorvill, Verville (forefield)* a.y.b. Tybed ai tebyg yw hanes *Courtfield* yn mynd yn *Courtville* a *Court(a)ville* trwy ymddangosiad *-a-* ymwthiol a gamgymerwyd fel y fannod Gymraeg i roi **Cwrt-y-fil**?

G.O.P.

Cydweli: Cedweli

Yr un hen esboniad ar yr enw hwn ag a glywsom lawer gwaith o'r blaen a gafwyd mewn rhaglen deledu beth amser yn ôl, sef mai cyfuniad ydyw o **cyd** a **gwely** a'i fod yn cyfeirio at yr afonydd Gwendraeth Fawr a Gwendraeth Fach sy'n llifo i'r môr o bobtu'r dref.

Mae'n debyg mai un rheswm dros wrthod hyn yw nad yw'r afonydd yn unman yn llifo mewn gwely sy'n gyffredin i'r ddwy, ond nid yw'r esboniad, efallai, mor ddyfeisgar â chynnig yr hen hynafiaethydd John Leland *c.*1536-9, sef *Kidwelly o(therwise) Cathgweli, i.e. Cattilectus,* ac ystyr y ffurf Ladinaidd olaf yna yw 'gwely cath'!

Gresyn fod yr ansicrwydd yn dal i gyniwair wedi i Bedwyr Lewis Jones, a Melville Richards ac Egerton Phillimore o'i flaen, ein goleuo. Ni allwn yn well yma na chrynhoi'r wybodaeth honno.

Ffurf gywir wreiddiol yr enw, yn ein horgraff ni heddiw, yw **Cedweli**. Y mae'r holl ffurfiau cynnar sydd gennym ar glawr yn dangos hynny. Dyma'r cynharaf: **Cetgueli** 10 ganr., **Chedveli** 1130, **Cedgueli** *c.*1150, **Kedwely** 1191, 1221, 1278, **Kedweli** 1250, **Ketweli** 14 ganr., lle mae'r ddwy **-e-** yn hollol amlwg.

Enw un o gymydau Ystrad Tywi ydoedd i ddechrau, ac enw 'tiriogaethol' ydyw o ran ei wneuthuriad. Yr enw personol gwrywaidd **Cadwal** yw'r elfen gyntaf (**Catgual** mewn orgraff Hen Gymraeg), gyda'r terfyniad **-i** sydd yn un o'r rhai hynny, fel **-iog** (Rhufoniog), **-wg** (Morgannwg), **-ydd** (Eifionydd) a.y.b. sy'n dynodi tiriogaeth y sawl a enwir yn y sillaf gyntaf, a'i ddisgynyddion.

Y mae ychwanegu **-i** yn peri i **a** yn y sillaf flaenorol gael ei haffeithio, a newid yn **e**. Enw un cwmwd yn yr hen sir Drefaldwyn oedd **Ceri**, sef yr hen enw personol **Câr + i**. Yn achos **Cadwal + i** digwyddodd affeithiad dros ddwy sillaf i roi **Cedweli**.

Y ffurf hon a fabwysiadwyd fel enw'r dref yn ddiweddarach, gyda'r sillaf gyntaf ddiacen yn amrywio ar lafar o **ced-** i **cyd-** erbyn tua diwedd y bymthegfed ganrif (amrywiad llafarog pur gyffredin yn y Gymraeg).

Sillafiad Seisnig nad yw i'w gymeradwyo yw **Kidwelly**, ond oherwydd hir arfer gellir derbyn **Cydweli** fel amrywiad llafar ar **Cedweli**.

G.O.P.

Cyfarthfa

Enw ar waith haearn, castell ac amgueddfa ym Merthyr Tudful yw Cyfarthfa i ni. Sefydlwyd y gwaith haearn yn 1765 a daeth i feddiant Richard Crawshay yn 1794. Adeiladwyd y castell gan ei ŵyr William Crawshay yn 1825. Yn sicr, mae'r enw yn llawer hŷn na'r gwaith haearn a'r castell, serch na welais i ffurfiau hynafol iawn ar yr enw.

Ystyr elfen olaf yr enw **-ma** yw 'lle, maes' a digwydd yn gyffredin iawn mewn enwau lleoedd yng Nghymru megis **Yr Adfa**, Llanwyddelan, Trefaldwyn, **Gorseddfa**, Capel Curig a Machynlleth. I ni heddiw ystyr **cyfarth** yw *to bark* ond gan mai **arth** yw elfen olaf y gair rhaid mai 'sŵn a wneir gan arth' nid 'sŵn a wneir gan gi' oedd yr ystyr wreiddiol. Yr oedd gynt hefyd ystyr arall i'r gair **cyfarth** sef 'brwydr, gwrthsafiad, y weithred o sefyll tir a herio dyn neu gŵn'. Yn chwedl **Culhwch ac Olwen** y mae Twrch Trwyth yn sefyll ac yn herio cŵn y brenin Arthur a oedd yn ei erlid ac fe ddywedir yn y testun:

'Cyfarth a roddai i'r cŵn heb gilio erddynt.'

Yna pan nesâi gwŷr y brenin troes y twrch a ffoi a dywedir:

'Ciliai eilwaith ac y torrai gyfarth.'

Y mae'n amlwg mai ystyr 'rhoddi cyfarth' yw 'sefyll tir a brwydro' ac mai ystyr 'torri cyfarth' yw 'cilio a ffoi'.

Felly gallai **cyfarthfa** olygu 'man lle safai anifail a oedd yn cael ei hela ei dir a herio'r cŵn a gyfarthai yn chwyrn o'i amgylch' neu gallai olygu 'safle brwydr', *battleground*.

Digwydd yr enw **Cyfarthfa** hefyd ym mhlwyf Modrydd ger Aberhonddu; yng Nghwm Llyfnant, plwyf Ysgubor-y-coed, Ceredigion a Llanelltyd, Meirionnydd.

Ym mhlwyf Llanferres, sir Ddinbych saif **Rhydygyfarthfa** a chofnodwyd chwedl am y fan yn 1566. Yn ôl y chwedl deuai holl gŵn y wlad at y rhyd i gyfarth ond ni feiddiai neb fentro yno i edrych beth oedd o'i le nes i Urien Rheged, un o arweinwyr yr Hen Ogledd, fynd yno. Canfyddodd ferch yn golchi dillad wrth y rhyd a dywedodd wrtho iddi gael ei thynghedu i olchi dillad wrth y rhyd nes iddi ennill mab o Gristion yn ŵr, am ei bod yn ferch i frenin Annwfn. Ymhen blwyddyn dychwelodd y ferch at y rhyd gyda mab a merch i Urien.

Ffansïol yw'r chwedl yn ôl pob tebyg, ond diddorol yw nodi fod yna lawer cyfeiriad ar gael mewn hen chwedlau a chroniclau at frwydro ar neu gerllaw rhyd.

T.R.

Y Cymin

Gan fod atgyweirio pier Penarth wedi cael lle amlwg yn y newyddion lleol yn ddiweddar, purion peth, efallai, fyddai ceisio ateb ymholiadau nifer o'r trigolion, yn Gymry Cymraeg, di-Gymraeg a Saesneg, ynglŷn ag un enw amlwg yno sy'n ymddangos ar y mapiau ac ar glawr fel *The Kymin.*

Dywedodd un sylwedydd ar ddechrau'r ganrif mai enw tyddyn ar lan ffrwd fechan a redai trwy fwlch yn y clogwyn i lawr i'r traeth ar lan Môr Hafren ydoedd, ac mai ffurf ar air Sgandinafaidd yn golygu 'ceg afon neu nant' yw'r enw, ac fe geir **Kimming Farm** *c.*1700, **The Kemmin** 1730-1, **Kiming** 1799, **Kymin Cottage** 1808, **Cymmyn** 1813-14 a **Kymin** 1844.

Fodd bynnag, yn gynharach na hynny, yn 1730, tystir ei fod yn enw ar dir isel ar oleddf tua'r traeth, ac fe geir mwy nag un awgrym mewn dogfennau mai 'cytir, tir comin' oedd hwn. Yn wir, *common land,* yn benodol felly, yw'r cyfeiriad ato. Ymhellach, fe ymddengys mai hynny sy'n gywir gan fod dogfennau o'r ail ganrif ar bymtheg sy'n ymwneud â thir Abaty Sant Awstin, Bryste (gan gynnwys *terram de Pennard,* sef Penarth), yn cadarnhau hynny gan gyfeirio at **Le Comon** 1540-1 a **the Comen** 1542.

Gellir derbyn, felly, mai ffurf amrywiol ar y benthyciad Cymraeg **cwmin, comin** o'r Saesneg Canol *commun, cumin* 'tir a ddelid yn gyffredin gan drigolion cymuned arbennig', sef **cymin**, sydd yma, wedi Seisnigo'r orgraff i roi **Kymin**, a dichon fod cyfeiriadau cynharach fyth i'w cael yn enw'r gŵr *Willelm de Keymin* 1238, a'r lle *villa de Gymyn* 1429, er mai teg yw nodi nad yw'r ffurf **cymin** yn cael ei chynnwys yng *Ngeiriadur y Brifysgol.*

Enghraifft arall adnabyddus o'r enw, wrth gwrs, yw enw'r bryn amlwg ger Trefynwy yng Ngwent, *The Kymin.* Ni wn a oes ffurfiau cynharach i gadarnhau mai'r un yw tarddiad yr enw hwn, ond a barnu oddi wrth ddisgrifiad yr hen archddiacon William Coxe yn ei lyfr enwog *A historical tour through Monmouthshire* (1801) ymddengys mai tir agored, cytir, oedd yno hefyd. Gwell hynny na derbyn mai ffurf ar **Cae-maen** ydyw fel yr awgryma Joseph Bradney, hanesydd sir Fynwy.

Barn Cadrawd oedd mai ffurf sy'n nodweddiadol o sir Fynwy yw **cymin, kymin** o'i gyferbynu â **cimla, cimdda, cymdda** ym Morgannwg.

G.O.P.

Cyntwell

Dyma ffurf bresennol enw ardal drefol yn hen blwyf Caerau ar odreon gorllewinol Caerdydd. Y mae iddi dras ddiddorol gan mai yn y lle cyntaf ffurf lafar Saesneg lac ydyw a ddeilliodd o'r cynsail *Saintwell*, gyda'r *C-* yn cael ei seinio fel *S-*. *Saintwell* yw'r ffurf ar fap chwe modfedd yr Ordnans yn 1884, ond ar y map modfedd cyntaf, yn 1833, *Saintwall* a welir.

Hawdd oedd newid *-wall* yn *-well* (a hynny a ddigwyddodd, nid fel arall) mewn cysylltiad â *saint*, gan ei bod yn haws credu bod a wnelo sant fwy â ffynnon nag â mur neu wal. Ond y cwestiwn yw, ai'r Saesneg *wall* oedd yr ail elfen yn wreiddiol?

Ym mhlwyf Llanrhidian yng Ngŵyr, cyfeirir at le ger eglwys Llanynewyr fel *Llodrog alias St Wall* yn 1764, ac erbyn 1884 ceir y ffurf *Saintwall* yn llawn, ond y mae bellach yn bur sicr mai hwn yw'r lle a nodir fel **Seintwar** mewn arolwg tir yn 1641. Ffurf Gymraeg yw hon a fenthyciwyd o ffurf Saesneg Canol fel *seintuarie*, sef *sanctuary* erbyn hyn. Aeth **seintwar** yn **seintwal** ar lafar (sef y *Saintwall* Saesneg) yn unol â'r duedd i gyfnewid **-r** am **-l** ar ddiwedd benthyciadau, fel yn *corner*/cornel, *dresser* / dresal, *razor*/rasal a.y.b.

Ystyr *sanctuary*/seintwar wrth gwrs yw lle cysegredig a allai fod yn noddfa a lloches i bobl mewn amryw byd o amgylchiadau adfydus. Hawlid y nawdd hwn gan yr Eglwys yn yr Oesau Canol a hefyd gan Farchogion Ioan, neu Ifan (fel yn **Ysbyty Ifan**) yr Ysbytywyr. Ar un adeg, yr oedd rheithor Llanrhidian yn hyfforddwr i'r Marchogion yn Slebech, sir Benfro, ac fe ddichon mai hynny sy'n esbonio'r **Seintwar** yn y plwyf.

Fel y mae'n digwydd, y mae digon o dystiolaeth mai fel *the Sanctuary* yr adwaenid adeilad ym mhlwyf Caerau, Caerdydd. Cyfeirir ato fel tyddyn yn 1695 a 1787, ac y mae dyddiadur William Thomas o Lanfihangel ar Elái yn frith o gofnodion am y lle a'i drigolion, pobl gyffredin a chrefftwyr gwlad. Yr oedd hwn hefyd yn rhan wahanedig o faenor Milton, Pen-coed, tir a oedd unwaith ym meddiant yr Ysbytywyr.

Dyma **Seintwar** arall, felly, a aeth yn *Saintwall a Saintwell* cyn llunio'r ffurf ddiweddar anniben *Cyntwell* a'r crop o strydoedd, *Cyntwell Avenue, Cyntwell Crescent* a *Cyntwell Place.*

G.O.P.

Disgwylfa

I ni yn y gogledd, enw ar ambell i dŷ teras a rhai capeli yw **Disgwylfa**. Ceir **Capel Disgwylfa** yn Neiniolen, Arfon a **Chapel Disgwylfa** yng Nghaergybi, Môn. Hefyd ym Môn, rhwng Brynsiencyn a Thal-y-coed yr oedd Ysgol Sul fechan o'r enw **Disgwylfa**.

Bûm yn tybio – efallai yn anghywir – fod y capeli hyn wedi cael yr enw **Disgwylfa** am fod eu sefydlwyr yn edrych arnynt fel mannau i ddisgwyl neu i aros yn y byd hwn cyn mynd i'r 'ochr draw'. Os felly byddent yn perthyn i enwau megis **Capel Noddfa** neu **Gapel y Graig** – enwau sy'n mynegi dymuniad y sefydlwyr ynglŷn â'r adeilad. Yn y gogledd y mae'r gair **disgwyl** yn ddieithriad yn golygu 'aros, edrych ymlaen; *to wait*'.

Y mae'r elfen **disgwylfa** yn digwydd mewn enwau lleoedd yn y de hefyd, yn llawer amlach, a'r tro hwn y mae'r ystyr yn dra gwahanol. Yn y de, yn ddieithriad hyd y gwn, y mae'r elfen **disgwylfa** mewn enw lle yn golygu 'lle i wylio, tŵr gwylio, man i gadw gwyliadwriaeth' ac fel arfer y mae'r enwau hyn yn cyfeirio at fryniau uchel lle gellid cadw gwyliadwriaeth ar ddarnau eang o lawr gwlad islaw yn hawdd. Ceir nifer fawr o enghreifftiau o'r enw **Disgwylfa** yn y de – maent yn rhy niferus i'w nodi yma – ond y mae'n amlwg fod yr arfer o gadw golwg ar y wlad o fryn uchel yn beth cyffredin o gyfnod cynnar iawn. Y mae rhai o'r enwau hefyd yn hynafol iawn. Cofnodir enghreifftiau o'r enw **Disgwylfa** yng nghantref Afan o ddechrau'r drydedd ganrif ar ddeg. Fe ddigwydd yr elfen **disgwylfa** hefyd yn enwau'r creigiau neu'r bryniau lle safai'r ddisgwylfa – enwau megis **Pen y Ddisgwylfa**, Margam; **Twyn Disgwylfa** ar Fynydd Aberdâr a **Craig dan y Ddisgwylfa**, Llandybïe.

Hyd y gwelaf ni ddigwydd yr elfen **disgwylfa** yn yr ystyr 'lle i wylio' ymhellach i'r gogledd na rhannau o'r hen sir Drefaldwyn. Yr oedd yna le o'r enw **Disgwylfa** yn Aberhafesb yn y sir honno a dywedir hyn am y lle yn un o holiaduron Edward Lhuyd tua 1700 – *thought to be a Monument or a Watch Tower*. Rhaid ychwanegu wrth gwrs mai 'gwylio, edrych ar, ymddangos' yw rhai o brif ystyron **disgwyl** yn y de.

Yr oedd yma fannau i gadw gwyliadwriaeth yn y gogledd hefyd a'r enw cyffredin arnynt oedd **Gwylfa** neu **Yr Wylfa**. Y mae **Yr Wylfa** ym Môn bellach yn enw atomfa ond yma yn ystod y Rhyfel Cartref y bu cefnogwyr y Brenin ym Môn yn cadw gwyliadwriaeth ar longau'r Senedd a oedd wedi angori gerllaw.

T.R.

Y Drenewydd yn Notais

Dyma ffurf Gymraeg enw'r plwyf y saif tref Porth-cawl ynddo, sef *Newton Nottage*. Saif eglwys y plwyf yn *Newton*, y ceir cofnod ohoni fel arglwyddiaeth fechan neu faenor yn y ffurf Ladin *Nova Villa* mor gynnar â 1147-83. Dyma'r **dref** newydd, gan gofio mai cyfieithiad o'r Hen Saesneg *tūn* 'treflan, cartrefle, fferm' (sef y *-ton* sydd yn y ffurf bresennol) yw **tref** yma.

Enw'r faenor gyfochrog i'r gorllewin yw **Notais,** sef *Nottage* mewn Saesneg Diweddar, a'r hyn a geir yn ffurf Gymraeg yr elfen hon yw addasiad seinegol o'r ffurf Saesneg.

Ail elfen y ffurf *Nottage* yw'r Hen Saesneg *aesc,* heddiw *ash* 'onnen', gydag elfen gyntaf *knot* 'wedi ei thocio'n glòs', sef *'the pollard ash-tree'* yn ôl Dr B.G. Charles er y gall fod i'r elfen gyntaf yr ystyr symlach 'moel, llwm'.

Ceir *Notasse* 1272, *(le) Nothasse* 1328, *Nothascche* 1351, *Notteassh* 1376 ac yna *Notage* 1557 a ddisgrifir fel amlwd *(hamlet)* yn 1572, o hynny ymlaen.

Y mae'n amlwg fod y ddwy uned wedi eu cysylltu â'i gilydd yn gymharol gynnar gan mai fel uned faenorol y trosglwyddwyd hwy fel eiddo yn 1272 *Nova Villa et Notasse,* a 1452 *Newton et Notesche,* yr olaf i Abaty Margam yn gyfnewid am Resolfen yng Nglyn-nedd gan arglwydd Morgannwg.

Fe ddichon mai fel canlyniad i'r cysylltiad tymhorol hwn y daethpwyd i ystyried yr uned fel plwyf eglwysig gan mai at *Ecclesia de Nova Villa* yn unig y cyfeirir ym mhrisiant eglwysig Norwich yn 1254, a hefyd yn 1291, ond erbyn 1535 *Newton Notage* sydd yn *Valor Ecclesiasticus* Harri'r Wythfed, er bod cyfeiriad pendant wedi hynny mewn dogfen yn 1572 at *Nottage in parochia de Newton.*

Pa fodd bynnag am hynny, diddorol, ar y llaw arall, yw mai i'r gwrthwyneb y mae'r pwyslais yn yr addasiad Cymraeg o'r enw, sef mai nid y Notais sydd ym mhlwyf Drenewydd ond **y dre newydd ynottais** *c.*1566, **y dre newydd ynotes** 1613.

G.O.P.

Drysgol

Ystyr gyffredin y gair **trwsgl** yw 'lletchwith, afrosgo, bwnglerus' ond fel y dangosodd Syr Ifor Williams flynyddoedd lawer yn ôl bellach 'gynt, golygai bob math o erwindeb ac anhrefn gyda "garw, *rough*" fel hanfod ei ystyr', yn enwedig mewn enwau sy'n cyfeirio at nodweddion tir mynyddig neu fryniog. Ffurf fenywaidd y gair yw **trosgl** a cheir **Y Drosgl** neu **Y Drosgol** ar lafar gwlad, enw sydd i'w gael mewn nifer o leoedd, fel enw'r gefnen sylweddol ger Carnedd Llywelyn yn Arfon. Hefyd, credai Syr Ifor y gallai'r ffurf **Y Drysgol** sydd i'w chael, hithau, mewn cryn nifer o fannau, fod yn amrywiad pellach ar hwn.

Cyfeirio y mae pennawd y nodyn hwn, fodd bynnag, at enw daliad o dir ym mhlwyf Radur ger Caerdydd, dwy fferm yn ddiweddarach (y **fawr** a'r **fach**) sydd bellach wedi diflannu er cadw'r enw yn enw'r heol *Drysgol Road*, a'r hyn a ddengys hen ffurfiau'r enw hwn yw fod esboniad arall yn bosibl.

Yn 1766, yr enw mewn dogfen oedd **Dyrys-coed**, a chyfeirir hefyd at *Dyryscoed Fields*. Yna, yn 1783 **tryscol** ym mhapurau trethiant y tir, yn cael ei ddilyn gan **Drusgol**, **Drwsgol** 1784, **Druscol** 1786, **Driscol** 1787, **Dryscol**, **Drysgol vawr** 1808 ac yn y blaen hyd at fap modfedd cynta'r Ordnans lle cynhyrchir y campwaith nodweddiadol **Yrysgol**. Yma, ceir yr hen ansoddair **drys** 'gwyllt, garw, tewfrig' (diweddarach yw **dyrys**) gyda **coed**, i roi'r ystyr 'tewgoed, prysglwyn', cymar i **dryslwyn** 'llwyn dyrys', lle gwelir y ddeusain **-oe-** wedi ei symleiddio'n **-o-**, ond yn fwy trawiadol, **-d** ar ddiwedd yr enw yn troi'n **-l** ar lafar, cyfnewidiad pur eithriadol ond posibl, mae'n amlwg, fel y dengys yr enghraifft hon.

Ar y llaw arall, nid doeth fyddai mynnu mai dyma'r esboniad ar bob **Drysgol** neu **Drosgol**, ac y mae llawer ohonynt. Rhaid casglu hen ffurfiau pob un cyn mentro ar esboniad. Ni ddigwyddodd y newid yn barhaol, er enghraifft, gydag enw'r fferm **Drysgoed** ym mhlwyf cyfagos Llanilltud Faerdref. Rhan oedd honno o **Tyre y trescoed** 1558, **Tyre keven tryscoed** 1567, sef **Driscoed** 1725, **Tir y Dryscoed** 1728 er bod y ffurfiau **Drisgol Vach** 1725, **Drusgol** 1793 a'r hynod anghywir **Tyrysgol** 1809-36 wedi eu cofnodi. Aeth ei chymar, rhan arall yr un daliad gwreiddiol, yn **Prysgoed**, sef **Pryscod** 1796, **Prys Coed** 1844 a **Presgoed** ar y map trwy ddod â **prys(g)** i mewn fel rhan o'i henw i bwrpas gwahaniaethu, gellid meddwl.

G.O.P.

Yr Eglwys Newydd

Cwestiwn a ofynnir yn aml yw paham mai fel **Yr Eglwys Newydd** yr adwaenir pentref a phlwyf *Whitchurch* ar gyrion gogleddol Caerdydd yn hytrach na'r **Eglwys-wen**.

Sail y cwestiwn, wrth gwrs, yw'r gred y dylai'r enw Cymraeg fod yn gyfieithiad o'r enw Saesneg a geir fel *Whitchurch* 13 ganr., *Whytechurch* 1376, *Whytchurche* 1492, *Whitchurche* 1576 ac yn y blaen hyd heddiw.

Yr ateb syml yw nad cyfieithiad anghywir o'r Saesneg mohono, ond enw Cymraeg annibynnol.

Codwyd capel anwes ar lan tro amlwg yn afon Taf yn yr Oesau Canol, llecyn a adwaenid fel **Ystum Taf**, *Capella de Stuntaf* yn 1126, nid nepell o safle hen waith Melingriffith. Yn nogfennau'r drydedd a'r bedwaredd ganrif ar ddeg cyfeirir ato yn y ffurf Ladin *Album Monasterium*. Ceir hefyd y ffurf Saesneg *Whitminster* a'r ffurf Norman-Ffrengig *Blancmoustier* 1315, *Blankmoster* 1322 – y rhain i gyd yn gyfystyron, gan gofio nad 'mynachlog' fawr addurniedig oedd *monasterium* (y *minster* Seisnig cynnar, **mystwyr** mewn Cymraeg) ond cell fechan gyntefig.

Tua chanol y drydedd ganrif ar ddeg fe grewyd maenor a oedd yn cyfateb yn fras o ran tiriogaeth i blwyf Yr Eglwys Newydd heddiw. Canolfan y faenor oedd castell bychan Treoda, tŷ sylweddol yn ddiweddarach (ei safle yn bur agos i ysgol Glan-y-nant), ac yn sicr erbyn y bymthegfed ganrif (efallai cyn hynny) yr oedd capel neu eglwys wedi ei chodi gerllaw. Ceir adlais ohoni yn enw *Old Church Road* lle'r erys ei holion yn unig bellach.

At yr eglwys hon y cyfeiriodd John Leland yn 1536-9 fel **Egluis Newyth**, ac mewn dogfen adnabyddus *c*.1566, **yr eglwys newydd**, sy'n profi dilysrwydd y ffurf honno. Yn wir, ceir *Newchurch* 1472, *Newchurche* 1600-7, ond ni ddaeth honno yn ffurf arferedig gan fod *Whitchurch* wedi goroesi.

Erbyn 1845 yr oedd plwyf modern yr Eglwys Newydd wedi ei greu, ac eglwys bresennol y Santes Fair wedi ei hagor erbyn 1885. Yn y cyfamser, aeth yr hen eglwys (**Egluis Newyth** Leland) yn wael ei chyflwr ac fe'i dymchwelwyd yn 1904.

Paham yr ansoddair **gwyn**/*white* yn yr enw gwreiddiol? Ai oherwydd yr arfer o wyngalchu muriau eglwysi a chapeli, fel yr **eglwysseu kalcheit** yng Ngwynedd y sonnir amdanynt yn *Historia* Gruffudd ap Cynan? Efallai, er y gall yr ansoddair ddynodi adeilad â muriau o feini iddo, yn ogystal.

G.O.P.

Eglwys-rhos

Saif Eglwys-rhos ar gyrion tref Llandudno. Y mae'r eglwys yn amlwg yn hen ond cafodd ei hatgyweirio ddwywaith yn y bedwaredd ganrif ar bymtheg. Bu plwyf Eglwys-rhos yn gysylltiedig â phlwyf Llandudno ers talm o amser.

Safai plwyf Eglwys-rhos yng nghwmwd Creuddyn ac yng nghantref Rhos yng Ngwynedd Is Conwy – darn o wlad sy'n ymestyn o Drwyn y Gogarth hyd barthau Llanrwst.

Benthyciad yw'r gair Cymraeg **eglwys** o'r Lladin *ecclesia* 'eglwys'. Mae'n digwydd fel elfen mewn enwau lleoedd ac yn enw cyffredin yn y Gymraeg ers y ddeuddegfed ganrif. Ceisiodd Kenneth Cameron awgrymu bod yr elfen enwau lleoedd Saesneg *eccles* yn dynodi eglwys Frythonaidd yn Lloegr ond wedyn awgrymodd Charles Thomas fod yr elfen *eccles* yn cyfeirio at ganolfannau Cristnogol cynnar ym Mhrydain.

Nid yw'r elfen **eglwys** yn gyffredin iawn mewn enwau lleoedd yng Nghymru a sylwais nad oes yna fwy nag un enw lle yn cynnwys yr elfen mewn un cwmwd trwy'r wlad. Gallasai hyn awgrymu fod yr enwau yn hynafol. Y mae llawer mwy o enwau lleoedd yn cynnwys yr elfen yn nwyrain Cymru nag yn y gorllewin a disodlwyd rhai enwau sy'n cynnwys yr elfen **eglwys** gan enw sy'n cynnwys yr elfen **llan** megis yr enw **Llan-gain** a elwid gynt yn **Eglwys Cain**.

Cofnodwyd yr enw **Eglwys-rhos** gyntaf yn 1254 ond y mae cysylltiad rhwng yr eglwys a Maelgwn Gwynedd, brenin Gwynedd yn ystod hanner cyntaf y chweched ganrif. Degannwy gerllaw oedd un o brif lysoedd Maelgwn. Yn ôl traddodiad a hanes ceisiodd Maelgwn ddianc rhag y fad felen, pla a drawodd Prydain tua 547 O.C., trwy ymguddio yn Eglwys-rhos. Erlidiwyd ef gan y pla a chanfuwyd ef yn ymguddio yn yr eglwys. Daeth y pla i mewn i'r eglwys trwy dwll bach y clo ac fe laddwyd Maelgwn. Cofnodwyd yr holl hanes yn y ddihareb Gymraeg – 'Hir hun Faelgwn yn Eglwys-rhos'.

Y mae hyn oll yn awgrymu fod yr enw **Eglwys-rhos** yn hynafol iawn. Dilynir yr elfen **eglwys** weithiau gan enw personol a thro arall gan enw'r drefgordd lle safai'r eglwys. Yn yr achos hwn, dilynir **eglwys** gan enw cantref cyfan. Os felly, ai hon oedd yr unig eglwys yn yr holl gantref ar un cyfnod?

T.R.

Y Fanhalog

Ar y map, ffurf enw'r fferm hon ym mhlwyf Llanwynno yw **Fanhaulog** (lle byddai **Fanheulog** yn well), ond ffurf anghywir yw hi, er ei bod i'w chael mewn nifer o ddogfennau o'r bedwaredd ganrif ar bymtheg: **Fanheulog farm** 1826, 1832, **Fanhaulog** 1850 a.y.b.

Y ffurf gywir yw **Y Fanhalog**, lle gwelir **-h-** dan yr acen yn y ffurf wreiddiol **banalog**. Sail y ffurf hon yw'r gair cyffredin **banadl**, *'broom'* yn ei ffurf lafar **banal** + y terfyniad **-og**, fel yn **rhedynog**, **eithinog** a.y.b. i ddangos man lle ceir cyflawnder o'r planhigion a enwir. Prin fod amheuaeth am hyn gan mai'r ffurf hynaf a gasglwyd yw **Vanhaddloge** 1633, ac yna **Vanhalog** 1783, 1787, 1791-1826, **Vonallog** 1804 a.y.b., ac yn ei ysgrifau ar blwyf Llanwynno (1878-88) at **Y Fanhalog** y cyfeiria Glanffrwd bob amser.

Yn anffodus, tua diwedd y bedwaredd ganrif ar bymtheg fe gam-esboniwyd yr enw fel ffurf ar **Y Fynachlog**, ac fe dueddir i dderbyn hyn gan rai haneswyr hyd heddiw, gan gynnwys y Comisiwn Henebau.

Y mae'n wybyddus fod y tir yng nghyffiniau'r fferm wedi ei roi'n rhodd i Abaty Margam tua chanol y ddeuddegfed ganrif, ond erbyn y drydedd ganrif ar ddeg yr oedd Abaty Llantarnam, Gwent, wedi meddiannu llawer o'r tir hwn a chodi arno un o'i ffermydd allanol *(grange)* a goffeir yn enw ffermdy cyfagos **Mynachdy** sy'n awr yn adfail. Fodd bynnag, yr oedd capel hefyd yn yr ardal, **Capel y Fanhalog** a allai fynd yn **Fynalog** ar lafar a hyrwyddo'r gred mai **Capel y Fynachlog** oedd yma, *'the monks' chapel'* yn ôl un sylwedydd.

Y ffaith drawiadol yw nad oes yr un ffurf o'r enw ar gael y gellir ei ddyddio'n gynharach na'r ddeunawfed ganrif ac y mae'n fwy na thebyg mai at dŷ-cwrdd Anghydffurfiol y cyfeiria'r enw. Fe'i cofrestrwyd dan yr enw **Cappel y Van Hallog** yn 1811, **Capel Fan-heulog** 1832, a **Vanhayly Chaple** yng Nghyfrifiad Eglwysig 1851. Dichon ei fod yn dyddio o ganol y ddeunawfed ganrif gan fod enw'r ffermdy cysylltiol **Buarth Capel** i'w gael ym mhapurau stad Iarll Plymouth, **Buarth y Cappell** 1766, a **Byarth Chapal** ym mhapurau'r Dreth Dir 1787, 1791.

Y mae Glanffrwd yn sôn amdano'i hun yn ei blentyndod yn cael ei hebrwng gerfydd ei law 'bob cam o gapel y Fanhalog ar ddydd Sul'.

G.O.P.

Forty

Saif y fferm sy'n dwyn yr enw camarweiniol hwn ger y ffordd o Sain Ffagan i Lanbedr-y-fro yng nghyffiniau Llansanffraid ar Elái, ac yn ei hymyl *Willows Farm*, enw diweddar ar **Forty Fach** 1884 a oedd yn rhan o'r un daliad gwreiddiol.

Er bod tystiolaeth i'r ffurf Gymraeg **Y Fforti** fodoli ar lafar ar ddechrau'r ugeinfed ganrif, enw trwyadl Saesneg ydyw, ond yn wahanol i'r gred gyffredin nid y rhifol Saesneg *forty*, a hynny'n sefyll am *forty acres* i arwyddo maintioli'r daliad, yw ei sail.

Ni ellir bod yn gwbl sicr o ddyddiad sefydlu'r fferm ond y mae'n lled sicr mai ati hi y cyfeirir yn y ffurf *The Fort* 1615, ffurf amwys na ellir dibynnu llawer arni, ond erbyn 1763 ceir *the ffortai*, yna *Fortai* 1766, *Forty* a *Lower Forty* 1784 (sef **Forty Fach**, efallai), *Fortay* 1785, *Forty Farm* 1788 a.y.b., ac yn nyddiadur William Thomas o Lanfihangel ar Elái, **Fforddtu** 1762, *(the)* **Fortu** 1764-89 mewn ymgais i'w Gymreigio, ond heb lawer o ystyr.

Rhaid symud i Loegr i gael y gwirionedd gan fod yno mewn amryw o siroedd, yn arbennig sir Gaerwrangon a sir Gaerloyw, enghreifftiau lled niferus mewn enwau lleol o ffurf sydd yn gyfansawdd o ddwy elfen mewn Saesneg Canol, sef *forthay* a *fort(h)ey*. Cynnwys hon y rhagddodiad *forth* 'o flaen, cyn' a'r ffurf a ddaeth o'r Hen Saesneg *eg* 'ynys', a ddatblygodd ystyron amrywiol fel 'cefnen o dir yn codi o dir isel', yn enwedig tir isel gwlyb a chorsiog. Gyda'r rhagddodiad *forth* rhoddir yr argraff fod y tir hwnnw yn 'taflu allan', fel petai, mewn sefyllfa felly. Yn wir, fe'i ceir yn ddigon mynych yn Lloegr nes ei dderbyn gan arbenigwyr bron fel term arbennig ynddo'i hunan. Yma, y tir isel yw glannau afon Elái.

Gellir derbyn hyn yn rhwyddach am fod enghraifft arall i'w chael ym Mro Morgannwg, sef hen enw tir ar lethr sy'n edrych i lawr dros ddyffryn y nant *Kenson* ar ei ffordd i ymuno ag afon Ddawan, ger Llancadle ym mhlwyf Llancarfan. *Forthey* yw hwnnw yn 1608, yna *Forti, Fortye* 1622, a *The Forty mead* erbyn dechrau'r ddeunawfed ganrif.

G.O.P.

Gabalfa

Parhau i holi ynghylch yr enw hwn ar ardal yng Nghaerdydd sy'n ymylu ar afon Taf, gyferbyn â Llandaf, wna nifer o'n darllenwyr. Yr oedd gynt yn lleoliad daliad o dir a chartrefle (ceir cyfeiriad at **Gabalva ucha** yn 1527 a **Cabalua Yessa** yn 1542), ac yn ddiweddarach y tŷ annedd *Gabalfa House* a digon o boblogaeth o'i gwmpas i gyfiawnhau'r cyfeiriad at *Gabalfa Hamlet* erbyn 1767.

Man cyfleus i groesi afon Taf ohono oedd hwn, ac ystyr yr enw yw man (**-ma** neu **-fa** ar ddiwedd gair) i wneud hynny mewn **ceubal** 'cwch, bad', sef **ceubalfa** 'fferi' gyda'r ddeusain **eu** yn ymdebygu ar lafar i'r llafariaid eraill yn y gair i roi'r ffurf **cabalfa**, enw benywaidd yma, **(Y) Gabalfa**.

Hysbys hefyd yw'r gair **ceubal** 'bol, stumog' y bernir yn gyffredin iddo ddatblygu ei ystyr yn drosiadol o **ceubal** 'cwch'. Fe'i hystyrir yn fenthyciad o'r Lladin Diweddar *caupalus, caupolus* 'cwch bach', ac y mae'r Llydaweg *caubal* a'r Saesneg *coble* 'cwch rhwyfo bychan' yn gytrasau iddo.

Digwydd **(Y) Gabalfa** fel enw mewn nifer o leoedd yng Nghymru heblaw Caerdydd. Yr oedd yn enw un o unedau amaethyddol Abaty Cwm-hir ym mhlwyf Cleirwy, Maesyfed, a gedwir mewn enw fferm bellach, **Cabalfa**. Ceir *Gabalfa Road* yn ardal Sgeti, Abertawe, sy'n coffáu'r *Gabalfa House* a ddiddymwyd yn 1965 (**Gabalfa** 1775). Yr oedd **Cabalfa** 1659 yn Llangynidr sy'n ymddangos fel **Tyr Maes Cae balva** mewn dogfen yn 1720, ac yn y gogledd, ym Meddgelert, yr oedd tŷ cyfrifol, onid plasty, o'r enw **Cabalfa** a gollodd yr enw hwnnw a'i alw'n Pen-y-bryn.

Ond beth yw ystyr **ceubal** pan yw'n digwydd fel enw ar ei ben ei hun megis y gwna yn **Coybal**, Llanllwchaearn; **Pantyceubal**, Llanfihangel Rhos-y-corn, sir Gaerfyrddin, a Chas-fuwch, Penfro; **Dôlyceubal** a **Coedyceubal**, Penegoes, ger Machynlleth; a'r hen **Nant y Ceubal** (**Nant y kybale** 1650) ym mhlwyf Llanedern, Caerdydd? Y tebyg yw mai cyfeiriad at bant neu geudod yn y tir sydd yn y rhain.

G.O.P.

Galon Uchaf

Dyma enw sydd wedi ysbrydoli cryn nifer o esboniadau rhyfedd ac ofnadwy yn y gorffennol. Dichon mai'r ffefryn yw hwnnw sy'n ceisio ei gysylltu â'r hen air **galon**, ffurf luosog **gâl** 'gelyn' gan adfer chwedlau am frwydrau ac ymrafael yn y bryniau i'r gogledd o Ferthyr Tudful i gyfiawnhau hynny.

Enw ar ardal drefol gymharol newydd ar gyrion gogleddol Merthyr, ac i'r dwyrain o ardal gyffelyb y Gurnos yw **Galon Uchaf** bellach, ond i ddeall arwyddocâd yr enwau hyn rhaid cofio am y sefyllfa cyn twf yr ardal drefol yn y blynyddoedd diweddar.

Fe dâl i ni feddwl am arwahanrwydd tref Merthyr, hyd yn oed ar awr anterth ei chwyldro diwydiannol o ddiwedd y ddeunawfed ganrif, fel 'ynys dywyll' chwedl R.T. Jenkins, mewn amgylchfyd gwledig o ffermydd bychain gwasgaredig ar y llethrau oddi amgylch.

Y mae Dafydd Morganwg (1874) yn rhestru tua chant o'r rhain gan gynnwys y Goetre, y Gurnos, Bôn-y-maen, y Garn, Gwern-llwyn a'u tebyg i'r gogledd o'r dref, hefyd **Galon Uchaf**, gan ychwanegu 'tir coed'.

Ar dir ffermydd fel hyn y tyfodd rhai o'r ardaloedd trefol newydd, ac yn briodol iawn cadwyd rhai o enwau'r ffermydd fel enwau'r ardaloedd hynny. Felly gyda'r **Galon Uchaf**, ac y mae ffurfiau cynharaf yr enw, hyd y gwelaf, yn tueddu o blaid enw'r goeden **collen,** *hazel*, fel elfen gyntaf, er bod yr ystyr letach, 'pren ifanc, *sapling*' yn bosibl.

Gall mai **Collen Fechan** oedd y ffurf wreiddiol. Ceir **Callon vechan** 1740 fel enw ffermdy a ymddangosodd ar **Tyr Calon Vechan** 1727, a *the* **Collen** 1775. Yna **Calon ycha** 1783, **Galon Ucha** 1784 a **Calon Echa** ar fap Emanuel Bowen yn 1729.

Y mae'r dystiolaeth hon yn bur gadarn, ond anodd cyfrif am y ffurf **cal(l)on**. Dichon mai **collan** a geid ar lafar gan y Cymry am **collen**, ac efallai mai datblygiad o'r ffurf honno rywfodd a gynhyrchodd **cal(l)on**. Nid yw symleiddio'r **ll** Gymraeg yn **l** yn broblem ar enau'r di-Gymraeg, ond y mae'r trawsosodiad llafarog a geir yma, os cywir yr esboniad ar yr ystyr, yn bur anarferol.

G.O.P.

Gelliargwellt

Saif y ddwy fferm sy'n dwyn yr enw hwn, yr **uchaf** a'r **isaf**, i'r de-orllewin o bentref Gelli-gaer, Morgannwg, ar lethrau'r Waun Rydd uwch tir Llancaeach Fawr.

Y mae'n weddol sicr fod **Gelliargwellt Uchaf** yn dyddio o ddechrau'r ail ganrif ar bymtheg, efallai cyn hynny, ac yr oedd yn gartref i gangen o deulu enwog y Stradlingiaid. Yr oedd gan Edward Stradling (a fu farw yn 1681) wenith yn ei gaeau, ŷd yn ei ysgubor, tair ar ddeg o wartheg, deunaw o ddefaid a nifer o geffylau. Yn ddiweddarach, ychwanegwyd cyntedd gyda charreg uwchben y drws yn dwyn y dyddiad 1778.

I'r sawl na chlywodd ynganiad lleol yr enw, y duedd heddiw yw acennu'r goben, **Gelliárgwellt**, ond dichon fod yn y gwahanol ffurfiau a gasglwyd beth arweiniad i farn wahanol: **Kellie'r gwellt** 1630, **Kelly r Gwellt ycha** 1682, **Gellir-gwellt** 1697, 1885, **Gelly R Gwellt Ucha** 1842.

Ceir **Tythin-kellie-r-meirch** 1583 fel ffurf ar enw fferm ger Brogynin, Ceredigion, yn ôl yr Athro Geraint Gruffydd, ac y mae'n debyg mai am **Tyddyn Gelliau'r Meirch** y saif hwnnw, gyda **cellïau** (yr acen ar yr **-i** yn y terfyniad), ffurf luosog **celli** 'llwyn, coedlan' fel ail elfen. Ar lafar, try'r terfyniad lluosog **-au** yn **-a**, a chyda'r fannod ceir **cellïa'r**.

Sut y byddai hyn yn taro ar glust ysgrifwr di-Gymraeg wrth geisio llunio dogfen sy'n cynnwys yr enw? I ddechrau, defnyddiai **kellie** neu **kelly** am **celli** (fel yn y ffurfiau a nodir uchod) ac onid naturiol fyddai iddo gam-ddehongli'r **-a'r** Cymraeg terfynol fel ei enw ef (yn Saesneg) am y *llythyren* **-r**, ac ysgrifennu **kellie r** am **cellïa'r**? Cadarheir hyn, i'm tyb i, gan y ffurf **Gelly R Gwellt Ucha** ar fap y degwm cyn cysoni'r ynganiad llafar cywir yn y ffurf **Cellïa'rgwellt** am **Cellïau'rgwellt**, gyda'r gytsain gyntaf yn treiglo ar ôl y fannod a wnaeth enw'r fferm yn benodol cyn ei cholli.

Am **gwellt** fel ail elfen, ac o gofio am dda byw Edward Stradling, gallai olygu 'porfa' yn syml, er y dylid meddwl hefyd, efallai, am y gair yn yr ystyr 'calaf, corsennau' a ddefnyddid i doi.

G.O.P.

Gelli-gaer

Y tebyg yw mai un lle arbennig a ddaw i feddwl y rhan fwyaf ohonom o weld yr enw hwn, sef y pentref hwnnw yn ucheldir gogleddol Morgannwg, canolfan hen gwmwd Senghennydd Uwch Caeach. Cyfeirio a wna'r enw, y mae'n weddol sicr, at leoliad **celli** 'llwyn, coedlan' ger yr hen gaer Rufeinig a safai yno ar y ffordd o Gaerdydd i Aberhonddu.

Fodd bynnag, fel y pwysleisiai Melville Richards yn gyson, er bod **caer** yn aml yn cyfeirio at gaer Rufeinig, nid gwir mo hynny bob amser, ac nid gair yw **caer** a ddeilliodd o'r Lladin *castra* ychwaith, fel y credid ar un adeg, ond gair Cymraeg sy'n golygu 'lle wedi ei gau i mewn' fel amddiffynfa, ac fe berthyn yn agos i **cae** a'r ferf **cau**.

Purion peth, felly, yw atgoffa ein hunain fod enghreifftiau eraill o'r enw **Gelli-gaer** i'w cael ym Morgannwg ac nad yw'r elfen **caer** yn yr un o'r rheiny yn golygu caer Rufeinig.

Enwau ffermydd ydynt a oedd yn ddaliadau mwy cyn eu dosrannu. Ceir un ar lethrau Mynydd-y-gaer i'r dwyrain o Lansawel, **Gelli-gaer Fawr** a **Gelli-gaer Fach** heddiw, ond **Kilticar** 1336, **Kelli y Gaer** 1538, **Kelly yr Gare** 1611 a.y.b. Y **gaer** yma yw'r fryngaer o Oes yr Haearn ar gopa'r mynydd sy'n dwyn yr enw **Buarth-y-gaer**, a thu mewn iddi garnedd gynharach o'r Oes Efydd. Y mae'r defnydd o'r gair **buarth** i gyfleu 'lle wedi ei gau i mewn' fel disgrifiad o'r hen adfail hon sydd ar ffurf cylch cyflawn yn cadarnhau ystyr wreiddiol **caer** yma.

Ym mhlwyf Cilybebyll y mae'r llall, ac er nas dangosir ar fapiau'r Ordnans y mae tystiolaeth iddi ym mhapurau stad Plas Cilybebyll: **Kelli Kayre** 1520, **Kelli y Kairei** 1535 (gyda'r ffurf luosog **caerau**), **Kelli'r Kayre** 1536, a gall mai hi yw **Cil-y-bebyll-fechan** 1886 neu **Kilybebill ysha** *alias* **Kelli Kayre** 1650. Ac nid dyna'r cwbl. Yr oedd i hon enw ychwanegol hefyd: **Ton-y-fattu** *anciently called* **Kell-Cayre** 1813 a oedd hithau'n rhanedig, **Tonn y devatty ycha** ac **issa** 1520, **Tonne y dyvattye ycha** ac **isha** 1556-7, **Ton y Devattye** 17 ganr., sef y **ton** cyffredin sy'n dynodi 'tir heb ei droi' a **dafaty** 'ffald, lloc'. Cyn belled ag y mae'n wybyddus ar hyn o bryd, ni chofnodir nac olion nac adfeilion oesoedd cynnar yn y fan hon, fel bod gwir ystyr **caer** neu **gaerau** yma yn ddirgelwch.

G.O.P.

Gelligeilioges

Beth amser yn ôl bûm yn trafod ystyr yr enw **Taliaris**, (t.92) a holais a wyddai unrhyw un am enw lle arall yng Nghymru a oedd yn cynnwys enw aderyn a'r ôl-ddodiad torfol **-es**. Ychydig ddyddiau wedyn cefais lythyr diddorol oddi wrth Mr Dewi Davies, Capel Bangor, Aberystwyth. Tynnodd ef fy sylw at yr enw **Gelligeilioges** – enw ar fferm yn Llanddew i'r gogledd o Aberhonddu. Bu ef yn tybio mai'r ôl-ddodiad benywaidd **-es** fel sydd i'w weld yn **brenhines**, **cenawes** a **marchoges** a geir yn Gelligeilioges ond methai yn lân a deall sut y gellid cael 'ceiliog benywaidd'!

Cofnodwyd yr enw **Gelligeilioges** gyntaf yn 1832. Y mae'n berffaith bosibl mai **ceilioges** 'man lle ceir llawer o geiliogod' yw elfen olaf yr enw ac y ceir yma enghraifft arall o'r math prin hwnnw o enw – cymar perffaith i **iares** 'man lle ceir llawer o ieir'. Fodd bynnag y mae un posibilrwydd arall. Yma yn y gogledd y mae'r gair **ceilioges** yn golygu 'gwraig sy'n rhy awdurdodol, hoeden'. Y mae'n air byw iawn i mi ond y mae'n amlwg nad oedd Mr Davies yn gyfarwydd â'r gair yn yr ystyr hwn ac y mae'n bosibl na ddefnyddiwyd **ceilioges** erioed yn yr ystyr hwn yn y canolbarth a'r de.

Yr oedd Mr Davies hefyd yn holi yn ei lythyr am ystyron yr enw fferm **Troed Rhiwlwba**, Melindwr a'r enwau **Ponterwyd** a **Goginan**. Elfen olaf yr enw **Troed Rhiwlwba** yw'r gair **lwba** 'lob, lleban diog, hurtyn' sy'n gyffredin ar lafar yn y de-orllewin. Un o'r benthyceiriau ydyw o'r gair Saesneg *looby* 'lowt, ffŵl'. Amrywiadau ar **lwba** yw **lwbi** a **lwbyn**. Y mae'r gair Saesneg *looby* yn perthyn yn agos i'r geiriau *lobb* a *lubber*.

Yn ôl Syr John Rhys, enw personol benywaidd Cymraeg yw **Erwyd**, ail elfen yr enw **Ponterwyd**. Os felly y mae'n bosibl y ceir enghraifft gynnar ohono yn y ffurf **Orvite** ar faen coffa o'r bumed ganrif ym mhorth eglwys Llangefni, Môn.

Y mae'r enw **Goginan** yn anos o lawer. Digwydd yr enw gyntaf yn 1672 yn y ffurf **Kegynan**. Felly gellid awgrymu'n betrus mai **cegin** yw elfen gyntaf yr enw, o leiaf.

T.R.

Glanyfelin

Enw ar fferm ar gyrion pentref Aberffraw ym Môn oedd Glanyfelin. Cofnodir yr enw yn y ffurf hon gyntaf gan Lewis Morris rhwng 1724 ac 1727. Fodd bynnag, anodd yw cysylltu'r elfennau **glan** a **nant** mewn enw lle.

Lawer blwyddyn yn ôl sylwais fod fferm arall ar gyrion pentref Aberffraw a elwid **Nantyfelin**. O edrych ar safle'r ddwy fferm canfyddais fod y ddau enw yn cyfeirio at yr un lle. Nid oedd melin nac afon na ffrwd, hyd y gwyddwn i, yn agos at y fferm.

O graffu ymhellach ar yr enw gwelais y cysylltiadau. Yr oedd ffrwd Melin Aberffraw yn tarddu ychydig yn uwch na **Glanyfelin**. Yna, oherwydd amryw resymau, newidiwyd llif y ffrwd tua chanol yr unfed ganrif ar bymtheg. Wedi hynny llifai ffrwd y felin yn union o Lyn Coron ac yr oedd craig yn y llyn a gafodd yr enw **Carreg y Cyfrwy** gan felinydd Aberffraw. Canys pan welai'r melinydd y cyfrwy a osododd ar y graig yn sefyll allan o'r dŵr, gwyddai fod ei gyflenwad dŵr yn lleihau a bod yn rhaid iddo brysuro ymlaen â'i waith.

Ond, o **Nantyfelin** ger **Glanyfelin** y deuai cyflenwad dŵr Melin Aberffraw er cyn cof. Newidiwyd llif y ffrwd ac o fewn ychydig ddegau o flynyddoedd aeth yr enw dros gof hefyd. Mewn llai na chanrif aeth **Nantyfelin** yn **Glanyfelin**.

Y mae'n weddol amlwg fod **nant** a **glan** yn amrywio mewn enwau lleoedd yng Nghymru eithr nid oes llawer enghraifft ar gael. Y mae'n bur bosibl fod yr enw **Glanhwfa** – enw ar stryd yn Llangefni ym Môn – yn deillio o'r enw trefgordd **Nanthwrfa** ac y daw **Glanadda** ym Mangor o **Nantadda** a **Glanhanog** yng Ngharno o **Nantanog**.

T.R.

Y Goetan

Enw ar fferm rhwng pentref Niwbwrch a Thywyn Niwbwrch ym Môn yw **Y Goetan**. Bu'r fferm yn eiddo i'm hewythr flynyddoedd yn ôl a bûm innau o'm plentyndod yn ceisio dyfalu beth oedd ystyr yr enw. Tybiais am lawer blwyddyn mai'r gair **coed** oedd wrth wraidd yr enw, ond yr oeddwn ar gyfeiliorn.

Benthycair o'r gair Saesneg *quoit* – 'disg llyfn crwn o garreg neu fetel a deflid at rhyw nod arbennig mewn campau' yw **coetan**. Ychwanegwyd y bachigyn Cymraeg **-an** at y ffurf **coet**. Digwydd yr elfen **coetan** yn bur aml mewn enwau lleoedd trwy Gymru, yn enwedig yn y cyfuniad **Coeten Arthur**. Defnyddir yr enw hwn fel arfer i ddisgrifio claddfa gerrig neu gromlech neu ran ohoni, sef y penllech, *capstone* – y maen gwastad ar ben y gromlech. Cafodd ambell i faen hir arall yr enw **Coeten Arthur** hefyd.

Pur anaml y digwydd yr enw personol **Arthur** mewn enwau lleoedd cynnar. Cofnodir y rhan fwyaf o'r enwau sy'n cynnwys **Arthur** am y tro cyntaf ar ôl tua 1625, wedi i'r chwedlau Arthuraidd ddod yn boblogaidd ymysg y werin. Tybient hwy fod y brenin Arthur yn gawr a bod y claddfeydd a'r meini hirion a'r llechau o'u cwmpas yn waith Arthur a chewri eraill (gweler t.10).

Cofnodwyd enw'r fferm yn Niwbwrch am y tro cyntaf yn 1703 a'r ffurf yw **Goyten**. Ni welais yr un ffurf ar yr enw yn cynnwys yr enw personol Arthur a, hyd y gwn, nid oes claddfa gerrig bellach ar dir y fferm. Fodd bynnag, gellir dyfalu bod yr enw'n wreiddiol yn cyfeirio at gladdfa, rhan o gladdfa neu faen hir.

Digwydd yr enw **Coeten Arthur** sawl gwaith mewn nifer o ardaloedd yng Nghymru a chofnodwyd rhai chwedlau sy'n ymwneud â'r enwau hyn. Y mae pob un o'r chwedlau o'r bron yn cyfeirio at garreg neu faen a daflwyd gan y brenin Arthur. **Coeten Arthur** yw enw'r gladdfa gerrig ar gomin Cefn-y-bryn ger Reynoldstown ym Morgannwg. Yn ôl y chwedl, carreg fechan yn esgid Arthur oedd penllech y gladdfa. Ar ei ffordd i frwydr Camlan tynnodd y brenin y garreg o'i esgid a'i thaflu ymaith. Cwympodd ar gomin Cefn-y-bryn – saith milltir i ffwrdd! Ceir chwedl gyffelyb am yr enw **Coeten Arthur** ym mhlwyf Llangadog, sir Gaerfyrddin. Dywedir bod Arthur wedi taflu'r maen, sydd ar ffurf ŵy, o ben bryn a elwir yn Ben Arthur ac iddo gwympo i afon Sawdde.

Digwydd yr enw **Coeten Arthur** hefyd ym mhlwyfi Llanddwywe, Meirionnydd; Llanllawer, Penfro; Llanystumdwy, Eifionydd; Llechgynfarwy, Môn; Nanhyfer a Thyddewi, Penfro. Digwydd yr elfen **coeten** ar ei phen ei hun hefyd yn Llanwnda, Arfon.

Ceir enwau lleoedd a chwedlau eraill ar hyd ac ar led Cymru sy'n cysylltu meini enfawr â chewri a chawresau. Enwau yw'r rhain megis **Baich y Cawr, Barclodiad y Gawres** ac **Arffedogiad y Gawres**. Ar lan Llyn y Tri Greyenyn ym mhlwyf Tal-y-llyn, Meirionnydd y mae tri maen enfawr. Dywedir bod y cawr Idris wedi tynnu'r meini o'i esgid am eu bod yn ei flino a'u lluchio i'r llyn. Y mae'n amlwg fod yma hen, hen thema!

T.R.

Gorad-y-gut

Enw ar dŷ ar lannau'r Fenai nid nepell o'm swyddfa yma ym Mangor yw **Gorad-y-gut**. Hyd at ychydig flynyddoedd yn ôl bu'n dŷ bwyta llewyrchus. Cofnodwyd yr enw gyntaf yn 1552.

Y mae ystyr yr elfen gyntaf **cored** yn berffaith hysbys. Math o fagl wedi ei llunio o wiail plethedig a physt, yn aml ar ffurf cryman, i ddal pysgod oedd **cored**. Nofiai'r pysgod i mewn i'r fagl gyda'r llanw ond ni allent ddianc gyda'r trai. Y mae olion tua saith o goredau, gan gynnwys un **Gorad-y-gut**, i'w gweled o hyd ar lannau'r Fenai rhwng Pont Menai ac Ynys Seiriol.

Digwydd yr elfen **cored** yn aml mewn enwau lleoedd trwy Gymru – enwau megis **Cored Beuno**, Clynnog; **Cored Shilly**, Pen-bre a **Cored-fach**, Llandyfaelog. Yn aml, yn y gogledd, aeth **cored** yn **gorad** ar lafar.

Y mae'n anos esbonio'r elfen olaf **gut** a bu llawer o ddyfalu ynglŷn â'i hystyr. Tybiai rhai mai talfyriad ydoedd o'r enw anwes **Guto** neu **Gutyn**. Tybiai eraill mai benthyciad ydoedd o'r gair Saesneg *cut* yn yr ystyr 'ffrwd melin, camlas'. Bellach fodd bynnag y mae'n bur amlwg mai benthyciad ydyw **gut** o'r gair Saesneg *gut*, 'ffos neu sianel fechan, ddofn'. Yr un yw'r gair yn y bôn â'r gair Saesneg sy'n golygu 'perfeddyn, coluddyn'. Y mae ffos o'r fath gerllaw **Gorad-y-gut** ac y mae nifer o ffosydd a sianeli tebyg yn llifo o'r tir trwy fwd a thywod Traeth Lafan i'r Fenai rhwng Bangor ac Aber.

Yn un o lawysgrifau casgliad *Baron Hill* ceir cerdd hir garbwl sy'n adrodd hanes rhyw farchog anffodus a syrthiai yn wastadol oddi ar ei farch. Un diwrnod yr oedd yn marchogaeth ger Llanfairfechan a cheisiodd gael ei farch i lamu dros un o'r ffosydd:

The tide was in, I spurred on then
And forced my horse to leap a gut . . .

Afraid yw dywedyd i'r marchog a'i farch gwympo i'r **gut**.

Fe ddigwydd yr elfen **gut**, yn ei ffurf amrywiol **gout**, mewn nifer o enwau lleoedd ar arfordir Mynwy a Morgannwg – enwau megis **Gilbert'sgout, Greatgout** a **Pwll Melin's Gout**.

T.R.

Gowlog

Enw fferm ger Llanfeuthin ym mhlwyf Llancarfan yw hwn, ac y mae'r mwyafrif o'r hen ffurfiau ohono yn dangos mai ynganiad y di-Gymraeg o'r ddeusain Gymraeg **-aw-** sy'n gyfrifol am yr **-ow-** a ymddengys yn ffurf yr enw ar y mapiau (cymharer ynganiad y gair Saesneg *cow*). **Gawlog**, yn ddiau, yw'r ffurf gywir.

Dyma rai o'r ffurfiau cynharaf: *The Iawloge Lands* 1657 *(I = G)*, **Gawlog** 1672, **Gawlogg** 1673, **Gaulock** 1728, *The Gawlock* 1753, ac yna **Gowlog** 1764, 1767 a.y.b. Prin y gellir amau mai ffurf dreigledig y gair Cymraeg **cawl** yw'r brif elfen, gyda'r terfyniad torfol **-og** sydd fel arfer yn dynodi man lle ceir cyflawnder o'r hyn a enwir yn yr elfen gyntaf (planhigion a llysiau gan mwyaf).

Nid yn ei ystyr ddiweddar – 'saig o lysiau a chig, potes' – y digwydd **cawl** yma ond yn hytrach yn ei ystyr gynharach o lysieuyn arbennig o deulu'r bresych. Daw o'r Lladin *caulis*, a gwelir ei gytrasau yn y Saesneg *kale*, ac elfennau cyntaf *cauliflower* a *colewort*. Yn yr enw **Porth-y-cawl** golyga *'sea-kale'*, a rhyw fath o fresych gwyllt a geir mewn mwy nag un **Heol-y-cawl**. Cyflawnder o'r llysieuyn hwnnw a geid yn y lle a enwyd **Gawlog** er ei bod yn amlwg fod y fannod, a barodd dreiglo'r gytsain gyntaf yn feddal, **Y Gawlog**, wedi ei cholli ar lafar, a'r ffurf ei hunan, felly, yn fenywaidd, fel **Y Fanhadlog**, **Y Gelynnog** o'u cymharu â **Clynnog** a **Banadlog** (**Banalog**).

Ar yr un pryd, y mae ffordd arall o ddangos yr un nodweddion mewn enw lle heb ddefnyddio'r terfyniad torfol **-og**, sef defnyddio'r fannod gydag enw'r llysieuyn yn unig, a'i dreiglo fel ffurf fenywaidd, fel **Y Rug**, **Y Wern**, **Y Gors** neu **Y Ro** (**gro** 'cerrig mân' fel yn **Y Ro Wen**). Byddai **Y Gawl**, felly, yn bosibl am **Gawlog**, a chyfeirir at **Tyle'r Gawl** yn un o lawysgrifau Iolo Morganwg, ond sicrhaodd yr Athro Griffith John Williams fi unwaith nad at **Gawlog** y cyfeiriai.

Mae'n amlwg bod diffyg cysondeb yma, ond fe gawsom ein hatgoffa gan Syr Ifor Williams fod ffurfiau fel **Y Gawlog** yn cyfuno'r nodweddion hyn. Gadawodd ni â'r sylw: 'Yr unig reol a welaf yn hyn o beth yw arfer'. A dyna daro'r hoelen ar ei phen.

G.O.P.

Y Groes-faen

Nid bob amser y gellir bod yn gwbl sicr o ystyr **croes** pan ddigwydd fel elfen mewn enw lle. Gall gyfeirio at groesffordd (**croesheol** y de, neu **Groeslon** y gogledd rhwng Caernarfon a Phen-y-groes) ac ar ei ben ei hun fel enw benywaidd, **Y Groes**, i olygu'r un peth, er y cyfeirir yng *Ngeiriadur y Brifysgol* at y ffaith mai gwrywaidd ydyw yn **Y Crôs** am groesffordd Treforys, ac yn benodol mewn enw fel **Pen-y-groes**.

Ar yr un pryd, fel enw benywaidd eto, gall gyfeirio at groes fel y cyfryw, o garreg neu o bren, a godwyd yn aml ar fin y ffordd neu, yn wir, ar groesffordd, naill ai i bwrpas crefyddol neu fel arwydd i nodi terfyn.

Y mae'r ffin rhwng plwyfi Llantrisant a Phen-tyrch ym Morgannwg yn rhedeg trwy'r groesffordd sydd yng nghanol pentref **Y Groes-faen** (ffermdy gynt) ac y mae'n amlwg oddi wrth ail elfen yr enw, **maen**, nad at groesffordd y cyfeirir ond at y groes a safai gerllaw: **Croyse Vaen** 1570, **y groes faen**, **Croes vaen** 1630, **Croes vane** 1636, gyda'r ffurf lafar (**grôs-fên**) yn dod yn amlycach yn y ffurfiau **Grosvane** 1650 a **Grossfane** 1768 (fel y cafwyd **Lisvane** am **Llys-faen**).

Heblaw'r ffaith fod y groes ar y ffin yn awgrym clir o'i phwrpas, ceir ategiad annisgwyl mewn ffurf Saesneg ar yr enw a gofnodwyd yn 1492, sef *Harston*. Pur gyffredin yw'r ffurf hon yn Lloegr, gydag awgrymiadau fel *Hoarston, Horston, Whore(e)ston*. Ceir nifer o enghreifftiau yn sir Benfro ac fe gafwyd dwy neu dair ym Mhenrhyn Gŵyr. Ynddi, ceir yr Hen Saesneg *hār* 'llwyd, wedi ei orchuddio â chen' a *stān* 'maen, carreg', *hoar-stone* mewn Saesneg Diweddar, sy'n ffurfio term a arferid i gyfleu 'maen terfyn', fel y dywed Thomas Richards yn ei eiriadur (1753) wrth ddiffinio **croes-faen**, 'Maen terfyn: *a mearstone marked with a cross'*.

Digwydd **(Y) Groes-faen** fel enw fferm a choed ym mhlwyf Gelli-gaer, fel enw cwmwd ym Mhowys Fadog, ac yn ôl *Geiriadur y Brifysgol* fel enw maen ar y terfyn rhwng dwy dref ddegwm yn Nhywyn, Meirionnydd. Dichon fod llawer mwy.

G.O.P.

Y Gurnos

Dyma enw sy'n cael cyhoeddusrwydd yn rhy aml am resymau anffodus, gan gyfeirio'n arbennig, wrth gwrs, at enw un o faestrefi Merthyr Tudful. Ond nid honno yw'r unig enghraifft o'r enw sy'n digwydd yn y de. Y lleoedd eraill amlycaf, efallai, yw **Gurnos**, Tre-gŵyr; **Bryngurnos** rhwng Maesteg a Chwmafan; a'r **Gurnos** ger Ystradgynlais.

Yng nghyffiniau Merthyr, enw fferm oedd **Y Gurnos** neu **Gyrnos**, a'r enw ei hun, mae'n amlwg, yn enw sy'n gyfeiriad at nodwedd arbennig o'r tir y codwyd hi arno. Yn ddiweddarach, aeth yn enw ar yr ardal drefol a dyfodd o'i chwmpas, fel yn achos **Galon Uchaf** (t.40).

Ymhlith ffurfiau'r enw a gasglwyd ceir **gyrnos** 1630, **y Girnos** 1716, **y Gwrnos** 1794, *the Gurnos* 1815, **Gyrnos** 1874 a chyfeiriad at **Melin y Gyrnos** *c.*1800 (melin fâl).

Nid yw'n enw hawdd i'w esbonio, a pharodd benbleth hyd yn oed i Syr Ifor Williams. Sail y ffurf yw'r enw cyffredin unigol **curn** neu **cyrn** a ddiffinir gan yr hen eiriadurwyr fel 'pentwr, pyramid', ac fe ychwanegir 'crug, carnedd, mwdwl' yng *Ngeiriadur y Brifysgol*. Nodir enwau'r mynyddoedd yn sir Gaernarfon, **Y Gurn-goch**, **Y Gurn-ddu**, **Y Gurn-las**, sydd ar ffurf côn, fel nad lluosog **corn** ydyw. Y mae **Y Cyrniau** yn digwydd mewn man arall am fwy nag un mynydd.

Y broblem yw bodolaeth y terfyniad **-os**. Ôl-ddodiad bachigol yw hwn, fel yn **plantos**, **merchetos**, a fagodd ystyr luosog, yn arbennig gydag enwau planhigion, **bedwos**, **brwynos**, **grugos**, ac yn y blaen i arwyddo lle y ceir llawer o'r planhigion hynny ynddo. Pa ystyr a rydd hwn i'r **gurn** neu **gyrn** yn **gurnos** tybed, gan mai **curnen**, **cyrnen** yw ei ffurf fachigol arferol?

Lle ceir yr elfen **bryn** yn yr enw, fel yn **Brynygurnos**, efallai y dylid chwilio am fryn neu fryncyn ar ffurf côn, ond heb wybodaeth fanwl am dirwedd y fangre, fel yr oedd yn hytrach na fel y mae heddiw, anodd bod yn sicr o'r ystyr. Lle mae **Gurnos**, Tre-gŵyr, a **Gurnos**, Merthyr yn y cwestiwn, prin fod bryn pigfain yn gweddu. Tybed ai nodwedd arbennig y tir gynt oedd fod iddo wedd dwmpathog, fel pe bai ponciau neu fydylau bychain ar ei wyneb?

G.O.P.

Gwastadannas

Enw ar fferm ym mhlwyf Beddgelert yw **Gwastadannas** – un o'r ffermydd hynotaf yng Nghymru oll. Ymestyn tiroedd y fferm heddiw o'r dolydd ger Llyn Gwynant at gopa'r Wyddfa. Gynt, at y tiroedd ger y llyn yn unig y cyfeiriai'r enw.

Am ganrifoedd tybiai pawb mai **Annes**, ffurf Gymraeg yr enw personol Saesneg **Agnes** oedd ail elfen yr enw hwn ac yn wir, fe ddigwydd y ffurf **Gwastadagnes** ar yr enw fwy nag unwaith. Fodd bynnag, yn siarter Llywelyn ab Iorwerth i Abaty Aberconwy yn 1199 ceir y ffurf **gwastat onnos**. Dengys hyn yn bur blaen mai **onnos** nid **Annes** oedd elfen olaf yr enw yn wreiddiol. Ffurf fachigol ar **onn** 'coeden onnen, *ash tree*' yw **onnos** a rhaid felly mai 'gwastatir y coed ynn bychan' yw ystyr yr enw gwreiddiol ac nad oes unrhyw gysylltiad rhyngddo a'r enw personol **Annes**.

Y mae'n bosibl fod **onnos** yn digwydd mewn enwau lleoedd eraill yng Nghymru – enwau megis **Rhonos** yn Llanelli ac **Yr Onnos** yn Ystradfellte. Teg yw ychwanegu hefyd fod yr enw personol **Annes** yn digwydd mewn nifer o enwau lleoedd eraill yng Nghymru – enwau megis **Brynannes** ym Moduan, **Corlanannes** yn Llanfair Harlech, **Maesannes** ym Modelwyddan a **Gwernannes** yn Llangwm.

Y mae'n hysbys fod ambell i derfyniad lluosog Cymraeg yn cael ei ddefnyddio ar gyfer rhywbeth arbennig neu rywun arbennig. Defnyddir y terfyniad **-od** er enghraifft yn aml iawn mewn ffurfiau lluosog enwau anifeiliaid, megis **cathod, llygod** a **llewod**. Defnyddir **-os** mewn ffurfiau lluosog enwau pobl neu bethau bychain. Y mae **plantos** yn enghraifft amlwg. Ceir **-os** mewn ffurfiau lluosog bachigol llawer o enwau coed a phlanhigion ac y mae nifer o'r rhain yn digwydd mewn enwau lleoedd – enwau megis **Y Rugos** rhwng Glyn-nedd a Hirwaun 'man lle tyf llawer o rug mân', **Bedwos** (ffurf wreiddiol yr enw Bedwas) 'man lle tyf llawer o goed bedw mân' ac **Y Wernos** (heddiw **Y Wernas-deg**), Beddgelert 'man lle tyf llawer o goed gwern mân'.

T.R.

Gwernycegin

Y mae'r ffordd o Gaerdydd i Lantrisant yn disgyn yn bur sydyn o gefnen sylweddol o dir i lawr i Rydlafar, a bydd dŵr yn llifo i'r pant dros wyneb y ffordd yn ddi-baid pan fydd yn genlli. Gorlifiant ydyw o dir corsiog ar y dde wrth fynd tua'r gorllewin, tir coediog hefyd sy'n llwyr gyfiawnhau ei alw'n **wern**, gan mai hwnnw yw **Gwernycegin**.

Fe gofiwn mai enw coeden yw **gwernen**, Saesneg *alder*, ac i Syr Ifor Williams ddangos i ffurf dreigledig y lluosog **gwern** gyda'r fannod, **Y Wern**, arwyddo man lle mae'r coed hynny'n tyfu, a dod i gael ei arfer am y math hwnnw o dir – tir gwlyb neu weundir corsiog fel rheol – yn union fel y daeth **Y Gors**, un o ffurfiau lluosog gwreiddiol **corsen**, i olygu rhywbeth tebyg.

Beth am yr elfen **cegin**? Sylwer, i ddechrau, mai gwrywaidd ydyw yma, nid **y gegin** gyfarwydd lle y bydd rhywun yn coginio, felly. Yn hytrach, hen air yw hwn nas ceir bellach ar lafar gwlad ond a gadwyd mewn rhai enwau lleoedd, a'i ystyr yw 'cefn, trum', ac y mae hynny'n gweddu yma. Y mae'n amrywiad ar **caing, ceing**, fel yn yr enw Llanrhaeadr yng **Ngheinmeirch** yn sir Ddinbych, ac fe ddigwydd nifer o weithiau mewn hen ffiniau yn *Llyfr Llandaf* yn y ffurf **cecin**, fel yn **cecin crib iralt**, 'cegin crib yr allt' a **cecin meirch** sy'n cyfateb i **Ceinmeirch**. Nodir **Carnau Cegin** a **Cerrig Cegin,** sir Gaerfyrddin, yng *Ngeiriadur y Brifysgol*.

Nid oes gennym ffurfiau cynnar iawn ar enw'r wern hon, er y gellir credu bod iddo beth hynafiaeth. Ceir **Wern y cegyn** 1833, **Gwern y Cegyn** 1884, ac ar un o fapiau stad Iarll Plymouth yn 1766, lle ceir enwau caeau mewn Cymraeg a Saesneg yn aml, ceir *Kitchen Arles* (*arles* yn ffurf ar *alders* mewn Saesneg Canol) am **Gwernycegin.** Cyfieithiad llythrennol mewn anwybodaeth o wir ystyr **cegin**.

Cegin yw enw'r nant sy'n ymuno â'r Fenai yn Abercegin (Porth Penrhyn), Bangor, ac sy'n codi yn Ffynnon Cegin Arthur ym mhlwyf Llanddeiniolen, ond nid oedd R.J. Thomas yn bendant ar ystyr ei henw a chlywais gan Tomos Roberts fod **cegid** i'w gael fel amrywiad yn lled gynnar.

Nid awn ar ôl hwnnw yma, ond gellir nodi bod **cegyr** i'w gael fel amrywiad ar **cegid**, fel yn **Abercegyr** yn sir Drefaldwyn, ac mai amrywiad llafar pellach ar **cegyr** yw **cegyrn** yng Ngheredigion. Diddorol yw gweld **Gwern y cegyrn** ar un o fapiau'r Ordnans am **Gernycegin** ar ddiwedd y ganrif ddiwethaf.

G.O.P.

Hafodwgan

Ar safle uchel ar gyrion plwyfi Llangynwyd a Margam, uwchben Cwm Cynffig ar y naill law a tharddle Nant Craig yr Aber ar y llall, fe safai'r hen drigfan haf hon (**hafod**) a oedd yn gysylltiedig ag un o ffermydd allanol Abaty Margam. Ofer, fodd bynnag, fyddai chwilio am ei henw ar y map heddiw yn y ffurf a welir uchod. Nid oes nemor ddim ohoni yn sefyll bellach ychwaith, dim ond meini hen furiau mewn clwstwr o amgylch iard fechan, a'r cwbl dan drwch o dyfiant coediog y Comisiwn Coedwigo.

Ffurf yr enw ar fap Swyddfa'r Ordnans yw **Hafod-Decca**, ffurf wallus sy'n sefyll am **Hafod Deca**, neu **Yr Hafod Decaf** yn ôl pob tebyg, a luniwyd i gael ystyr i enw y mae digon o dystiolaeth iddo gael ei gamdrin gan genedlaethau o ysgrifwyr. Fe ymddangosodd fel **Havod y Dyga** 1527, 1633, 1700, **Havod y Diga** 1681, 1713, **Hafod Digoed** 1814, a **Hafod Beca** 1833 cyn dod at y ffurf bresennol.

Yn nhrethiant y Pab Nicholas tua 1291, cyfeirir at bedair acer o dir, gwerth chwe cheiniog, yn **Handugan**, ffurf a fyddai'n anodd i'w datrys oni bai am fodolaeth y ffurf amrywiol gyfamserol **Kavodduga** (lle mae **k-** yn wall amlwg am **h-**). Cadarnheir hyn gan y ffurf **Havothduga** mewn stent o dir Margam yn 1336. Gan fod **n** ac **u** yn debyg iawn i'w gilydd mewn llawysgrifen, ac **u** hithau yn ymdebygu i **v** yn ei thro, nid anodd gweld yr **Handugan** gwreiddiol yn sefyll am **Haudugan**, ffurf wallus ar **Hau(o)dugan** trwy golli'r llafariad **o**. Y mae'r ffurf hon hefyd yn cadarnhau presenoldeb **-n** derfynol wreiddiol yn yr enw.

Yn Archif Melville Richards ym Mangor, ceir tystiolaeth i'r enw **Hafod Wgan** 1543 ym mhlwyf Llanedi, sir Gaerfyrddin. Hefyd, yn un o siarterau Abaty Ystrad Marchell yn 1206 ceir yr enw **Hauot gwgaun** ym Mhowys. Y mae'r rhain yn ateg gref i bresenoldeb yr enw personol gwrywaidd **Gwgawn** fel ail elfen, enw sy'n cyfeirio efallai at berchennog yr hafod neu ddeiliad cynnar.

Y mae'r ffurf gynnar **Gwgawn** yn sail i'r ddwy ffurf **Gwgan** a **Gwgon**, ac fe'u ceir yn fynych yn ein hen lenyddiaeth ac mewn enwau lleoedd. Dyma ail elfen yr enw personol **Cadwgan** hefyd.

Prin fod yn rhaid ychwanegu fod cytsain flaen yr enw personol yn treiglo'n feddal ar ôl enw benywaidd yn y cyswllt hwn i roi yma **Hafodwgan**, fel y gwna mewn enwau fel **Ffynnon Daf, Rhyd Wilym, Hafod Ruffudd** ac yn y blaen.

G.O.P.

Heneglwys

Enw plwyf ar gyrion Llangefni ym Môn – y plwyf lle saif pentref Bodffordd yw **Heneglwys.** Chwalwyd yr eglwys blwyf yn 1845 ond ail-adeiladwyd hi ar yr un cynllun gyda'r un cerrig. Erys nifer o nodweddion yr hen adeilad gan gynnwys bedyddfaen o'r ddeuddegfed ganrif.

Y mae'r enw hefyd yn hynafol. Cofnodir ef gyntaf ar ddechrau'r drydedd ganrif ar ddeg yn un o englynion beddau *Llyfr Du Caerfyrddin.* Yn yr un englyn cysylltir yr eglwys â'r sant Gwyddelig Corbre (Cairbre) a rhed yr englyn fel hyn (ar ôl i mi ei ddiweddaru):

Bedd Ceri gleddyfhir yng ngodir Heneglwys
Yn y diffwys graeandde
Tarw torment ym mynwent Corbre.

Fodd bynnag, erbyn 1352, dau sant estron – *Faustinus* a *Bacellinus* – oedd nawddsaint yr eglwys blwyf. Yr oedd yr enwau hyn yn ormod o lond ceg i'r plwyfolion a chafodd y saint yr enw torfol **y saint llwydion** *'the blessed saints'*. Aeth arwyddocâd yr ymadrodd hwn dros gof ac erbyn hyn nawddsant yr eglwys yw gŵr hollol ffug o'r enw **St Llwydian.**

Awgryma'r dystiolaeth fod eglwys wreiddiol Corbre wedi dadfeilio a bod eglwys newydd wedi ei chodi ar yr un safle, efallai yn gynnar yn y bedwaredd ganrif ar ddeg, a'i chysegru i *Faustinus* a *Bacellinus*. Dengys hyn yn eithaf plaen fod ystyron hollol wahanol i **hen** mewn enwau lleoedd pan fo'n ail elfen. Pan fo'n elfen gyntaf yr ystyr yw 'cyn-', *former* a phan fo'n ail elfen yr ystyr yw 'hynafol', *old*. Y mae felly gryn wahaniaeth ystyr rhwng enwau megis **Hendy** a **Tŷ-hen**. Dichon fod hen eglwys Corbre Sant wedi mynd yn adfail, ond bod coffa am y safle cysegredig wedi aros a bod eglwys newydd wedi ei chodi ar yr un safle. Ystyr yr enw **Heneglwys** felly yw *'former church'*.

Ymestyn arwyddocâd hyn oll ymhell tu hwnt i Fôn. **Henfynyw** yng Ngheredigion oedd enw safle gwreiddiol mynachlog Dewi Sant. Gerllaw Dinbych saif plwyf **Henllan** ac yn sir Gaerfyrddin saif plwyf **Henllan Amgoed**. Ble bynnag y digwydd **hen** yn elfen gyntaf mewn enw lle, yna y mae'n arwydd fod yna hen adeilad neu hen sefydliad ar y safle a gafodd yr enw. Y mae'r dystiolaeth hefyd yn awgrymu mai ystyr elfen megis **hendref** mewn enwau lleoedd yw *'former farm'*.

T.R.

Henstaff

Ger y ffordd o Gaerdydd i Lantrisant, rhwng y Groes-faen a Chapel Llanilltern, saif yr adeilad a adwaenir yn awr fel **Henstaff Court**. Adeilad a godwyd yn y bedwaredd ganrif ar bymtheg yw hwn, ond fe saif ger safle hen dreflan ar dir a oedd yn rhan o'r hen **Barc Coed Marchan** y ceir adlais ohono yn *Llyfr Llandaf*, ac enw'r tir hwnnw oedd **Tir-y-bryn**.

Ni cheir yr enw **Henstaff** mewn ffynonellau ysgrifenedig hyd ddiwedd yr unfed ganrif ar bymtheg. Cawn yr hen fardd Dafydd Benwyn yn canu marwnad Sioned Mathau o **Henstab** yn y cyfnod hwnnw, ac y mae'n awgrymiadol mai ffurfiau'r ail ganrif ar bymtheg ar yr enw yw **Henstapp** 1600, **Henstaffe** 1607, **Henstappe** 1608, **Henstod** 1608, hyd at **Henstabb** 1706-7, ond **Henstabl** mewn un ddogfen o'r un cyfnod nad oes dyddiad iddi.

Cadarnheir y ffurf hon mewn rhôl rhent unigryw sydd yng nghasgliad dogfennau stad yr Ardalydd Bute sy'n dyddio *c.*1625. Y mae'n nodedig oherwydd iddi gael ei hysgrifennu, yn wahanol i'r dogfennau eraill, mewn Cymraeg, a'r ffurf a geir ynddi yw **tyddyn y elwyd henstable**.

Yr ail elfen yn yr enw, felly, yw **stabl** (**ystabl, stabal** yn y gogledd), benthyciad o'r Saesneg *stable* yn ôl pob golwg (er y dylid cofio i hwnnw, yn ei dro, ddod o'r Hen Ffrangeg *estable*).

Yn y ffurf ddeusill **hen-stabl** collwyd y gytsain **l** yn y cyfuniad terfynol **-bl** ar lafar, fel yr aeth **posibl** yn **posib**, neu **perygl** yn **peryg**, gan roi **Henstab**, a **Henstap** trwy galediad, yn y ffurfiau a nodwyd uchod.

Gwelir y terfyniad **-ff** yn ymddangos yn 1607, ond nis ceir yn gyson hyd ddechrau'r ddeunawfed ganrif, ac o hynny ymlaen, **Henstaff** 1747-8, **Henstaffe** 1754 ac yn y blaen gydag ambell ffurf sy'n cynnwys amrywiadau orgraffyddol mympwyol.

Dichon fod cyfnewid y **-b** derfynol am **-ff** yn anghyffredin ond y tebyg yw mai cyfnewidiad llafar prin ydyw gan y tystir i'r gair **cwnstabl** gael ei ynganu yn Nyfed fel **cwnstaff**.

G.O.P.

Heol-y-crwys

Y mae tystiolaeth i'r gair **crwys** fel ffurf luosog **croes** er y bedwaredd ganrif ar ddeg, ond o ran ei darddiad dichon mai ffurf unigol ydyw sy'n deillio'n rheolaidd o'r Lladin *crux*.

Trwy gydweddiad â ffurfiau lluosog fel **ŵyn**, **crwyn**, aethpwyd i gredu mai ffurf luosog oedd **crwys**, ac fe luniwyd y ffurf unigol **croes** i gyfateb i **oen**, **croen**. Ffurf luosog ddiweddarach yw **croesau**.

Nid hawdd yw darganfod ai unigol ynteu lluosog yw **crwys** mewn enwau lleoedd onid oes tystiolaeth annibynnol i'n cynorthwyo. Yn **Y Crwys** ger Pen-clawdd ym Mhenrhyn Gŵyr ceir y ffurf Saesneg *the three crosses* 1707, 1729, 1731 a.y.b. sy'n cyfeirio, yn ôl pob tebyg, un ai at hen groesau ar fin y ffordd neu groesau terfyn (*boundary cross* y Saeson). Felly hefyd, fe ddichon, gyda **Pant-y-crwys** ar Graig-cefn-parc ger Clydach, a beth am **Llanddewi'r Crwys** (**Llanycrwys** ger Pumsaint)?

Yn ychwanegol at hynny, yn ôl y geiriaduron, enw benywaidd yw **crwys**. Sonnir am **y grwys** y croeshoeliwyd Crist arni mewn testun yn 1595. Ond ai gwir hynny bob amser?

Yn **Heol-y-crwys** (*Crwys Road*) Caerdydd, y mae tystiolaeth ddogfennol bur bendant, nid yn unig mai'r ffurf unigol a geir yn yr enw ond bod y ffurf honno hefyd yn wrywaidd. Ni threiglir y gytsain gyntaf ar ôl y fannod, a dengys yr hen ddogfennau mai coffáu enw daliad, ffermdy yn ddiweddarach ar dir allanol a berthynai i Abaty Margam yn yr Oesau Canol, sef **Y Crwys Bychan** a safai gynt yn un pen i'r heol honno a wneir yn ei henw. Sylwer hefyd ar ffurf wrywaidd yr ansoddair **bychan**.

Dyma rai o'r ffurfiau cynharaf: **Crosse byghan** 1540-53, **cross bayghan** 1675, 1682, **Crugbogan** 1722, **Cross Bughan** 1731, **Crusbuchan** 1732, 1736 hyd at **Crwys Bychan** 1824, **Crewis Buchan** 1828.

Diddymwyd y ffermdy yn 1899 a chodi Ysgolion Gladstone ar y safle. Ar ffin ogleddol plwyf Sant Ioan y safai'r hen ffermdy, ac ymhellach i'r dwyrain, ym mhlwyf y Rhath, dywedir bod unwaith ffermdy arall o'r enw **Y Crwys Mawr**. Barn yr Athro William Rees oedd mai arwydd i nodi terfyn ffin ogleddol hen fwrdeistref Caerdydd oedd y **Crwys Bychan**.

G.O.P.

Llanfihangel-y-pwll

Dyma'r ffurf ar enw pentref *Michaelston le Pit* ger Dinas Powys a arferid yn gyson gan Gymry'r fro: **ll. fihangel or pwll** *c.*1566 mewn hen restr o enwau plwyfi Cymru, gyda'r amrywiad **ll. V'el y pwll** 1590 mewn fersiwn arall.

Y mae tystiolaeth gynharach o gryn dipyn i ffurf Saesneg yr enw: *Michelstowe* 1291, *Michelestowe* 13 ganr., *Mighellesstowe, Mighellstowe* 1307 a.y.b. a'r hyn sy'n amlwg yw mai *stow(e)*, sef yr Hen Saesneg *stōw*, yw ail elfen wreiddiol y ffurf honno, ac nid y *-ton* sydd yn yr enw presennol. Yn ddiweddarach y daeth hwnnw, weithiau yn ei ffurf fodern *town*, yn *Michaelstown* 1535, *Mychelston* 1559, *Mighelstowne* 1565, *Mighaelston* 1590.

Ymddengys, felly, mai cysegriad Eingl-Normanaidd i Fichael yr Archangel, a Gymreigiwyd yn **Llanfihangel**, yw cysegriad eglwys y plwyf bychan hwn, ac er bod nifer o enghreifftiau o **llan** yn cael ei ddefnyddio i gynrychioli *-ton* mewn enwau Saesneg yng Nghymru i'w cael, y tebyg yw mai i gynrychioli'r *stow(e)* gwreiddiol y defnyddiwyd **llan** yma. Y mae hynny'n fwy rhesymol gan mai ystyr yr Hen Saesneg *stōw* yma yw 'lle neu fan cynnull cysegredig'.

Ceir yr un peth yn **Llandudwg (Llanduddwg)** ger Porth-cawl, sef *Tythegston* heddiw ond *Tythegstow* (*Tethegstowe* 1258) yn wreiddiol.

Beth am **pwll** neu *pit*? Y mae'n fwy na thebyg eu bod yma yn elfennau cyfystyr i ddisgrifio'r sefyllfa yn y ddwy iaith. Saif y pentref mewn ceudod sylweddol, ac fe dystia'r arbenigwyr y defnyddir *pit*, Hen Saesneg *pytt*, i olygu *'a natural hollow'*. Felly, **pwll** am bant neu geudod nad oes raid iddo fod yn wlyb. Elfen 'wahaniaethol' ydyw yma, gan fod **Llanfihangel** arall yn lled agos – **Llanfihangel ar Elái**.

Diddorol yw'r fannod Ffrengig *le* yn y ffurf Saesneg. Goroesiad, yn sicr, ond nid yn uniongyrchol o'r cyfnod Eing-Normanaidd. Nid oes tystiolaeth iddi cyn 1567. Enghraifft, yn hytrach, o'r ffasiwn ddogfennol ddiweddarach o ddefnyddio ymadroddion Ffrengig mewn enwau lleoedd a roes enwau fel *Holton le Clay, Moreham le Fen, Stratford le Bow* a'u tebyg yn Lloegr.

G.O.P.

Llanffa

Ym mhlwyf Ewenni, Morgannwg, y saif amlwd, fferm a thŷ cyfrifol (a elwir yn **gwrt**) sy'n dwyn yr enw hwn a sillefir ar y mapiau fel **Llampha**, ffurf sydd ac iddi gryn hynafiaeth ac sy'n mynd yn ôl i'r ail ganrif ar bymtheg, ac efallai cyn hynny. Nid oes dim yn nhras yr enw, fodd bynnag, i gyfiawnhau'r ffurf a sillefir gyda'r **-ph-** ganolog.

Yr oedd y lle unwaith yn safle hen gapel eglwysig, capel Ogwr, Llanffa (*capella de Ugemor de Lanfey*, 1141), ond nid oes dim ond twmpath pedronglog mewn cae ger y Cwrt i ddangos ei leoliad erbyn hyn.

Yn *Llyfr Llandaf*, **lan tiuei** yw ffurf yr enw, sef **Llandyfei** yn ein horgraff ni, **Llandyfai** yn ddiweddarach, lle ceir enw'r sant **Tyfai** fel ail elfen, ac fe gedwir y ffurf honno yn gyson yn y dogfennau, **Landefei**, **Lantefei**, **Landevai**, o'r ddeuddegfed ganrif hyd ail hanner y bymthegfed ganrif. Ar yr un pryd, yr oedd tuedd i golli'r sillaf gyntaf ddiacen yn enw'r sant a acennir yn drwm ar y sillaf olaf (sef y rhagddodiad parch **ty-** a welir yn **Tyfodwg, Tyfaelog, Tysilio, Tyfriog** a.y.b.).

Effaith yr acen hefyd oedd ynganu'r **f** fel **ff**, a hyn yn cael ei hyrwyddo, efallai, gan duedd ysgrifwyr di-Gymraeg i wneud hynny'n gyson, nes cael ffurfiau fel **ll.ffai** *c*.1566, **Llanffe** 1594, **Lanffay** 1600, ac yna **-ph-** yn **Lanphe** 1620, **Lanphey** 1631, 1649, **Lanphay** 1723.

Yna fe aethpwyd i ynganu **-n-** fel **-m-** o flaen **ff** neu **ph** ar lafar, ac i'r terfyniad **-ei**, **-ai**, eto ar lafar, gael ei symleiddio'n **-a** gan roi **Lampha** 17 ganr., (**Lanfa** 1723), **Llampha** 1757, 1791 ac a ddaw'n gyffredin yn y cyfnod modern.

Cymar i'r enw wrth gwrs, yw **Lamphey** yn sir Benfro, **Lantefei** yng ngwaith Gerallt Gymro yn y ddeuddegfed ganrif, a'r enw yn sir Henffordd sy'n aros heddiw fel **Foy** heb fod ymhell o'r Rhosan ar Wy (**Lanntiuoi** yn *Llyfr Llandaf*). I'r un sant hefyd y cysegrwyd eglwys **Llandyfeisant** ym mharc Dinefwr, Llandeilo.

G.O.P.

Llawennant

Yn ymyl gwaith ALCOA ger afon Llan yng nghyffiniau Waunarlwydd a Mynydd-bach-y-glo, Abertawe, saif adfeilion hen ffermdy Ystrad Isaf, cymar i Ystrad Uchaf gynt. Gadawsant eu hôl yn enw'r *Ystrad Road* yn y gymdogaeth honno.

Cyfeiria **ystrad** yma at y tir gwastad rhwng y ffordd o Abertawe i Gasllwchwr a nant fechan a red i afon Llan gerllaw, ac fe geir enw'r nant yn enw llawn yr ystrad yn 1650, sef **Ystrad Llawenant, Ystrad llewnant** 1616, **Ystrad lawenna** 1650, **Ystrade lawena** 1699, **Ystrad Llewennant** 1704, **Ystradlawennant** 1764.

Enw'r gors hithau oedd **Cors llawennant**, a gollodd y cytseiniaid ar ddiwedd yr enw i roi **Cors llawenna** ar lafar, **Gorse Llawenna** 1650, **Cors Lewenau** ar fap yr Ordnans 1833.

Tueddai'r ysgolhaig hynod hwnnw, R.J. Thomas, i gydio'r enw wrth yr ansoddair cyffredin **llawen** sy'n digwydd yng Nghymru fel elfen mewn enwau lleoedd a nentydd, ond tybed a oes posibilrwydd arall?

Rhan o dir allanol bwrdeistref Abertawe oedd hwn yn yr Oesau Canol. I'r dwyrain yr oedd y *Portmead*, enw Saesneg ar faes eang sy'n dal yn fyw fel enw un o faestrefi Abertawe ac sy'n cynnwys *port* yn ei hen ystyr o 'dref farchnad, bwrdeistref' a'r *mead* sy'n ffurfio rhan gyntaf y gair Saesneg *meadow.*

Y mae hefyd yn hysbys fod y **Llawennant** ar un adeg yn ffin rhwng y *Portmead* a'r tir cyfagos i'r gorllewin. Y gair mewn Saesneg Canol am ffin yw *meare, mere,* a chan fod nentydd yn ffurfio ffiniau naturiol rhwng tiroedd, nid anghyffredin yw darganfod yn Lloegr enwau ar nentydd sydd yn cyfuno *mere* a'r Saesneg Canol *brok* (heddiw *brook*) yn y ffurf *mere-brok,* sef 'nant y ffin'.

Dyma sail amryw byd o enwau fel *Merebrook* a *Meersbrook* sydd i'w cael mewn sawl sir yn Lloegr ar hyn o bryd, ond cyn hynny, pan ddaeth mwy o gynefino â ffurf geiriau mewn print ac mewn ysgrifen, ceir enghreifftiau o ffurf fel *mere-brook* yn cael ei chamddeall fel *merry-brook,* ac onid cyfieithiad llythrennol i'r Gymraeg o enw felly fyddai **nant-lawen**, neu **Llawen-nant**?

Gall fod, felly, yn un o nifer o enghreifftiau o Gymreigio enwau Saesneg bwrdeisiol cynharach yn yr ardal.

G.O.P.

Llechwen

Gwesty adnabyddus ym mhlwyf Llanfabon, Morgannwg yw'r **Llechwen Hall** presennol, ond craidd yr adeilad yw'r tŷ cyfrifol a fu unwaith yn gartref i gangen o deulu Thomasiaid Llanbradach Fawr. Gellir dyddio nodweddion ohono i'r ail ganrif ar bymtheg, ond sicrach yw ei briodoli i'r ddeunawfed.

Ei enw gwreiddiol oedd **Llechwenlydan**, ac er nad oes gennym ffurfiau cynharach na'r ddeunawfed ganrif ar yr enw ar hyn o bryd, y mae digon i ategu'r ffurf honno: **Llechwanlodan** 1785, **Llechwanllydan** 1826, **Leachwenleodan** 1827, **Leckwanllydan** 1829, **Llechwan-llydan** ar fap cyntaf yr Ordnans yn 1833, ac yna **Llechwen farm** 1888 a.y.b.

Fel rheol, tueddir i gredu mai'r ansoddair benywaidd **gwen** yw ail elfen yr enw, gyda **llech** yn yr ystyr 'craig, carreg, maen gwastad' i awgrymu lliw golau'r garreg a roddodd enw i'r lle, efallai. Fodd bynnag, er na allwn brofi hynny gan mor gymharol ddiweddar yw dyddiad y ffurfiau uchod, dichon y gellir cynnig esboniad gwahanol trwy apelio at dystiolaeth ffurfiau cymharol, sef mai ffurf ydyw ar y gair **llechfaen**, cyfansawdd o gyfystyron, bron iawn – **llech** a **maen**.

Digwydd **llechwen**, a'r amrywiad **llechwan**, fel ffurf lafar **llechfaen** yn ne-ddwyrain Cymru yn ôl *Geiriadur y Brifysgol*. Gwelir **f** yn troi'n **w** fel yn **twrf/twrw**, **cwrf/cwrw**, gyda'r ddeusain ddiacen **ae** yn y sillaf olaf yn rhoi **e** a'r amrywiad pellach, **a**. Y mae'n debyg mai'r enghraifft amlycaf o gyfnewidiad cyffelyb yw **Corwen** am **Corfaen** ym Meirionnydd (**Corvaen** 1254, 1291).

Ceir **(Y) Llechwen** i'r gogledd o Ynys-y-bŵl a **Llechfaen** oedd hwnnw'n wreiddiol yn sicr.

Hefyd, enw diddorol iawn yw **Bryn Llechwenddiddos** ym mhellafoedd gogleddol dyffryn Rhondda Fach, sy'n ein hatgoffa o'r **Llechwedd Ddiddos** arall honno sy'n enw ar garreg, yn ôl un ddogfen (1611), yng nghyffiniau Mynydd y Gaer ar y ffin rhwng plwyfi Baglan a Llansawel. Yma gall **diddos** ddisgrifio maen sy'n cysgodi, fel to, tebyg i'r un a geir mewn hen feddrod, ac y cyfeirid ato gynt fel cromlech.

G.O.P.

Lledglawdd

Dyma enw hen ffermdy yng nghyffiniau Craigybwldan ar gyrion Abertawe, ar lethrau deheuol cefnen o dir heb fod ymhell o Hendrefoilan. **Lledglawdd** yw'r sillafiad ar y mapiau heddiw.

Nid oes dim hynodrwydd yn perthyn iddo, hyd y gwn, ond y mae'r enw yn ddiddorol am fod ei ffurf wedi newid cryn dipyn er pan ymddengys gyntaf ar glawr. Yn wir, pa ystyr sydd i'r ffurf bresennol? Rhyw hanner clawdd, neu ddarn o glawdd? Beth fyddai pwrpas peth felly?

Dylid cofio bod dwy ystyr i **clawdd**, sef un ai'r ffos, y *ditch* Saesneg, a dorrir yn y ddaear (cymharer ffurf y ferf ***clodd*-io**), neu'r hyn a ffurfir o daflu i'r wyneb yr hyn a gloddiwyd, fel mur neu wal o bridd. Yn ddiweddarach, datblygodd yr olaf ystyr gyffredinol o glawdd a wnaed o ddefnydd amrywiol, fel **clawdd drain** a'i debyg.

Y ffurf gynharaf ar yr enw sydd dan sylw yw **Llechglawdd** 1652, sy'n awgrymu'n gryf mai 'wal, mur' yw ystyr **clawdd** yma, a hwnnw'n fur a wnaed o gerrig neu feini, **llech**, nid o angenrheidrwydd yn yr ystyr gyfyng 'llechfaen' na'r hyn y cyfeirir ato'n gyffredin â'r ffurf fachigol **llechen, llechan**, i balmantu neu i doi. Digwydd **Llechglawdd** (felly ar y map) fel enw fferm ger Llanboidy yn sir Gâr hefyd.

Yna, erbyn 1631 ceir **Llethclawdd, Tyr Cleth Clawdd**, ac nid oes ond un ffordd i gyfrif am y ffurf hon, sef mai canlyniad gwall copïo ar glawr ydyw, hynny yw, **ch** yn cael ei darllen fel **th**. Prin y gellir derbyn ei fod yn gyfnewidiad llafar. Anhawster y Sais gyda **ll** sy'n cyfrif am **cl-** yn **Cleth-**.

Ond cyn hynny, yn 1764, ceir **Llethrglawdd**, sy'n awgrymu fod y camddarlleniad dogfennol wedi digwydd cyn 1831, a bod rhywun a oedd heb fod yn gwbl anystyriol o sefyllfa'r ffermdy wedi ceisio rhoi ystyr i **Llethglawdd**, a'i wneud yn **Llethrglawdd**.

Llediad anghyfiaith o **Llethglawdd** yw **Llettclawdd**, a ymddengys yn ddiweddarach fyth yn 1852, a dichon mai ymgais i roi gwedd Gymreig i'r ffurf honno yw'r **Lledglawdd** presennol.

G.O.P.

Llwyn Eithin

Ger stad ddiwydiannol Fforest-fach, Abertawe, y mae nifer o strydoedd a enwyd ar ôl llwynau o goed o bob math – derw, helyg, celyn, bedw a hefyd **Llwyn Eithin**. Tybed ai'r olaf a ysbrydolodd y sawl a'i henwodd, gan ei bod yn bosibl fod iddo dras hynod?

Yr oedd yr ardal gynt yn rhan o diriogaeth bwrdeisiaid Abertawe, ac yn dir bryniog a choediog. Enw ar ran ohono i'r de o afon Llan, yn 1583, oedd **Brynne canathan**, **Brinkanathan** 1585, ond **Bryn Clanathan** yn 1650, y rhain yn ffurfiau mewn dogfennau a ysgrifennwyd gan ysgrifwyr di-Gymraeg.

Tywyll yw'r ail elfen, fel y saif, ond mewn ewyllys yn 1562 ceir y ffurf **Pen lloyne Aythan** (sef **Pen Llwyn Aeddan**) gyda'r enw personol **Aeddan**, a all gyfeirio'n fras at ran o'r un tir.

Ai rhyfyg fyddai cynnig mai ffurf lwgr ar **Llwynaeddan** yw **Clanathan**, o gofio anhawster clerc o Sais, dyweder, gyda'r **ll** Gymraeg ac felly'n cynhyrchu'r sain **cl**, fel yn **clan** am **llan**? Ceir **Tyr Cleth Clawdd** 1831 am **Lledglawdd**, sydd yn lled agos (t.61).

Ategir yr enw **Penllwynaeddan** yn ddiweddarach: **Penllwynaydvan** 1741, **Penllynayddan** 1746, **Penllwynaythan** 1750-1, **Penllwynyddan** 1820, **Penllwyneithan** 1844, ac yn y ffurf olaf yna fe geir awgrym o'r hyn a ddigwyddodd ar lafar, sef cynhyrchu ffurf ar yr ail elfen a ddangosir gan Emanuel Bowen ar ei fap yn 1729, **Llwyn Ithan**. Yn y dafodiaith leol ceir y ddeusain **ae** yn mynd yn **ei** ac yna'n **i** hir, yn union fel yr â **eithin** yn **ithin**, ac oherwydd y tebygrwydd, 'adferwyd' **Llwyn Eithin** a chael **Penllwyneithin** yn ei le i wneud gwell synnwyr.

Yn wir, ar fap modfedd cyntaf yr Ordnans 1830, dangosir fferm **Pen-llwyn-eithin-fach** ar ochr ogleddol Mynydd-bach-y-glo (y **Bryn Clanathan** gwreiddiol?) lle y ceir ffatrïoedd heddiw, a **Phenllwyn-eithin** ar yr ochr ddeheuol, ond nid oes dim ohonynt ar ôl bellach.

Hefyd, ceir **Cae-yr-eithin** ychydig i'r dwyrain, sef y **Cae'reithin** presennol ger y *Portmead*, a all fod yn gysylltiedig.

G.O.P.

Llwynmilwas

Saif yr adeilad sy'n dwyn yr enw hwn ar y ffin rhwng plwyfi Pen-tyrch a Llantrisant ym Morgannwg, ac fel y mae'n digwydd y mae cryn nifer o hen ffurfiau o'r enw i'w cael ar glawr. Gydag un eithriad yn unig, y mae pob un yn ategu'r ffurf bresennol gyda mân amrywiadau sydd i'w priodoli i fympwyon ysgrifwyr y dogfennau a'r ffynonellau eraill gan mwyaf.

Mae'n amlwg mai **Llwynmilwas** oedd y ffurf lawn gan y ceir **Lloyn y Mylwas** 1630, 1666, **Lloyn(e) y Milwas** 1638, 1671, **Lloyn Mil(l)was** 1720-49, **Llwyn Milwas** 1752 ac yn y blaen. Yr eithriad, ac y mae'n eithriad pwysig, yw'r ffurf gynharaf sydd ar gael ar hyn o bryd, sef **Ll'n Mellwas** yn arolwg tir Iarll Herbert ym Morgannwg yn 1570.

Amlwg yw mai **llwyn** yw'r elfen gyntaf, ond y mae'r amrywiad llafarog rhwng **milwas** a **melwas** yn creu sicrwydd. Mae **Melwas** i'w gael fel hen enw personol Cymraeg ond pur amhendant a phrin yw'r cyfeiriadau ato fel person dilys, er bod Dafydd ap Gwilym yn ei enwi mewn cywydd. Fe'i gwneir hefyd yn ŵr o dras brenhinol, sy'n awgrymu **mael** 'tywysog, arglwydd' a **gwas** 'gŵr ifanc, glaslanc' fel y ddwy elfen y ffurfiwyd yr enw ohonynt. Fodd bynnag, ni wyddys am gysylltiad neb o'r enw hwn ag ardal Llantrisant a Phen-tyrch.

Gellir nodi yn unig fod yr enw **Coed Melwas** i'w gael ym mhlwyf y Coety (**Kaer Melvas** yn ewyllys Robert Gamage, yn 1570 eto).

Ynteu ai ffurf gyfansawdd o'r elfennau **mêl**, yr hylif melys, a **gwas** 'gwasanaethwr' sydd yma i gyfleu'r ystyr mai casglu neithdar i wneud mêl oedd ei ddyletswydd? Cymharer y ffurf **melwr** 'darparwr, neu un sy'n casglu mêl' mewn enw fel **Cae'r Melwr**.

Oherwydd fe ymddengys mai tueddu at esbonio **milwas** fel cyfansawdd o **mil** 'anifail' (fel yn **bwystfil, morfil**) a **gwas** y mae ein harbenigwyr, hynny yw, bugail neu warchodwr anifeiliaid yn gyffredinol. Os cywir hynny, byddai'n rhaid derbyn **melwas** 1570 fel ffurf amrywiol ar **milwas** yn y cysylltiad hwn.

G.O.P.

Maes-y-ward

Yn y saithdegau darganfuwyd cryn nifer o feddrodau o'r Oes Efydd ar dir y fferm a ymddengys heddiw dan yr enw hwn ar fap Swyddfa'r Ordnans. Saif heb fod ymhell o bentref bychan Llanddunwyd *(Welsh St Donats)* ym Mro Morgannwg ac yn ardal hen arglwyddiaeth Tal-y-fan.

Yn y trafod a fu am y darganfyddiadau mewn cyfnodolion ac adroddiadau, dengys yr archeolegwyr beth ansicrwydd ynglŷn â ffurf yr enw gan roi'r flaenoriaeth i'r ffurf lwgr **Maeshwyaid** neu **Maesyrhwyaid**, y ffurf a arferid ar fap chwe modfedd yr Ordnans yn y bedwaredd ganrif ar bymtheg. Honno a geir hefyd yng nghyfrol berthnasol y Comisiwn Henebau.

Maes Heyward yw'r ffurf mewn dogfen dirol yn 1597. **Maes Heyward** eto cyn diwedd yr unfed ganrif ar bymtheg ac yna **Maesheyarte** 1603. Erbyn y ddeunawfed ganrif mae ysgrifwyr y dogfennau yn mynd dros ben llestri'n llwyr gan gynhyrchu amrywiadau rif y gwlith, yn eu mysg, **Maesyard, Musead, Maesiad, Mosead, Marsiad** a.y.b.

Digon tebyg yw hanes ffynonellau dogfennol y bedwaredd ganrif ar bymtheg gyda **Maeseyward, Maes Ward** yn dechrau ymddangos mewn cofrestri plwyf, rhestrau etholwyr a phapurau llywodraeth leol, gan gynnwys map arbrofol dwy fodfedd i'r filltir yr Ordnans, **Maesiward** 1813-14, ffurf y dichon y byddai'n well pe buasai wedi ei chadw na'r **Maeshwyaid** anffodus diweddarach.

Tuedd B.D. Harris, a astudiodd enwau'r ardal, yw gweld yma **maes** + y cyfenw Saesneg *Heyward, Hayward,* ar sail y ffaith fod John le Heyward, arglwydd Merthyr Mawr yn y bedwaredd ganrif ar ddeg, yn ŵr i wyres Richard Syward, neu Siward, a oedd ag arglwyddiaeth Tal-y-fan yn ei feddiant hyd tua chanol y drydedd ganrif ar ddeg.

Y mae hwn yn honiad teg a rhesymol, ond yn anffodus, gresyn na fyddai gennym ffurf gynharach nag un 1579 fel prawf sicrach, oherwydd ar y llaw arall, gan ein bod yn gorfod tybio'r gwirionedd ar sail tystiolaeth hanesyddol brin, onid llawn mor bosibl fel ail elfen fyddai cyfenw Richard *Syward* ei hun mewn ffurf wreiddiol bosibl fel **Maes Syward, Maes Siward**?

G.O.P.

Marian

Yn ddiweddar bu nifer o bobl yn fy holi ynghylch y gair **marian** sy'n digwydd mewn enwau lleoedd yn bur aml. Ymddengys fod y gair yn gyfarwydd i lawer ond mai ychydig iawn o bobl a ŵyr ei ystyr. Bu rhai hyd yn oed yn tybio fod cysylltiad rhyngddo a'r enw personol Saesneg *Marian*! Nid oes yna'r fath gysylltiad. Bachigyn o'r enw *Mary* yw'r enw personol Saesneg *Marian*.

'Gro, cerrig mân, graean neu draeth graeanog' yw gwir ystyr **marian**. Yn un o holiaduron Edward Lhuyd a luniwyd tua 1700, dywedir hyn: 'marian y galwant gerrig mân yng nghefn yr Aran'. Mewn enwau lleoedd cyfeiria **marian** at gerrig mân neu fras ar ochr mynydd (yr hyn a eilw Sais yn *scree slope*) neu ar wastatir sych, ar lan afon neu ar lan y môr. Ni nodir tarddiad **marian** yng *Ngeiriadur Prifysgol Cymru* ond bûm yn tybio ers tro fod cysylltiad rhyngddo a'r geiriau Saesneg a Ffrangeg *moraine* 'cerrig mân a ysgubwyd i lawr o'r mynyddoedd gan dalpiau o rew'. Ni wn a yw hyn yn wir.

Digwydd **marian** yn bur gyffredin mewn enwau lleoedd yng ngogledd Cymru, yn enwedig ym Môn a gogledd-ddwyrain Cymru. Y mae rhai o'r enwau yn bur ddiddorol. Yng ngogledd-ddwyrain Môn saif pentref **Marian-glas**. Tybed ai cyfeiriad yw'r enw hwn at lecyn wedi ei orchuddio â cherrig mân neu fras ond bod glaswellt yn tyfu rhyngddynt? Ym Mhenmon yr oedd tyddyn o'r enw **Tyddyn Marian-purwyn**. Fe allai **purwyn** gyfeirio at liw y cerrig ond y mae'n llawer mwy tebygol mai enw personol neu epithed yw **Purwyn** yma. Mewn siarter o'r flwyddyn 1237 cyfeirir at ŵr o Benmon o'r enw Madog ap Purwyn. Gerllaw yn Llangoed y mae **Mariandyrys**. Mae'n debyg fod y **marian** hwn yn anodd i'w drin neu i'w groesi oherwydd y cerrig. Yn Llanfair Mathafarn Eithaf, eto ym Môn, yr oedd lle o'r enw **Marian Maen Uwd**. Dyma un o'r enwau hynaf sy'n cynnwys yr elfen **marian**. Cofnodir ef gyntaf yn 1489. Mae'n debyg fod **maen uwd** yn cyfeirio at yr hyn a elwir yn *pudding stone* yn Saesneg.

Yn Ysgeifiog yn sir y Fflint yr oedd lle o'r enw **Marian y Cwcwalltiaid**. Ffurf luosog **cwcwallt** *'cuckhold'* yw **cwcwalltiaid**.

T.R.

Meiros : Vivod

Saif un o'r ffermydd sy'n dwyn yr enw **Meiros** ar lechwedd isaf **Mynydd Meiros** (**Mynydd Myres** ar fap George Yates, 1799) ychydig i'r dwyrain o bentref Llanharan ym Morgannwg, ac uwchben cartref y Poweliaid yn y ddeunawfed ganrif, y *Llanharan House* presennol, gyda'i risiau cylchol anarferol.

Yn wahanol i'r **Gurnos** ym Merthyr Tudful (t.50), nid enw gyda'r terfyniad bachigol a lluosog **-os** yw **Meiros** ond, yn hytrach, enw sydd â'r enw cyffredin **rhos** 'tir uchel gwyllt, ffridd, gweundir' fel ail elfen, ac fe geir o leiaf ddwy enghraifft arall o'r enw ym mhlwyfi Llanegwad a Llangeler yn sir Gaerfyrddin.

Y mae peth ansicrwydd ynglŷn â'r elfen gyntaf **mei**. Cynigiodd yr Athro Melville Richards unwaith, yn betrus, y gallai fod yn amrywiad ar y **ma** hwnnw sy'n golygu 'lle, man' ac sy'n ymddangos fel **-fa** mewn enw fel **Gwynfa**, neu **ma-** (a'r amrywiad **ba-**) fel elfen gyntaf enwau fel **Machynlleth**, **Machen**, **Bathafarn**, **Bachynbyd**, lle gellid ei ystyried, efallai, mewn ystyr ehangach fel 'gwastadedd, tir agored'. Heblaw **Meiros**, nodir enwau fel **Meiarth**, **Meidrum**, **Meifod**, a'r **-fai** cysylltiol yn **Cil-fai**, **Crynfai**, **Gwynfai** (**Gwynfe**), **Myddfai** a **Pen-y-fai.**

O'r rhain, y mae **Meifod** yn enw sy'n digwydd droeon yng Nghymru – yn Abergele ac yn Llandrillo-yn-Rhos yn Aberconwy, yn Llanenddwyn ym Meirion, yn Llanrhaeadr-yng-Ngheinmeirch yn sir Ddinbych ac yn yr hen sir Drefaldwyn, ond o bob un, yr un sy'n peri poendod i'r llygad yw hwnnw a welir yn amlwg yn y ffurf **Vivod** ar arwydd ffordd ar yr A5 ger Llangollen ac sy'n benbleth i nifer a holodd yn ei gylch o bryd i'w gilydd.

Enw ar drefgordd ym mhlwyf Llangollen oedd **Feifod** yn wreiddiol. Yn ddiweddarach daeth yn enw plasty hefyd ac y mae'n amlwg erbyn hyn ei fod yn enw ar ardal fechan i'r de-orllewin o dref Llangollen. Cofnodir yr enw gyntaf yn y ffurf **Veyvot** yn 1391-3. Am ryw resymau parhaodd perchnogion y tir ac, yn ddiweddarach, awdurdodau lleol a gwladol i sillafu'r enw mewn orgraff Gymraeg Canol – arfer sydd wedi parhau hyd heddiw. Yr oedd y llythyren **v** i'w chael yn yr wyddor Gymraeg yn yr Oesoedd Canol ond diflannodd o'r wyddor fodern. Ymddengys hefyd fod y fannod **y** wedi ei harfer yn rheolaidd o flaen yr enw dros ganrifoedd. Gwelir hyn yn blaen o holiaduron Edward Lhuyd lle cofnodir y ffurfiau **Y Veivod** a **Y Plas yn y Veivod**. Ffurf gysefin gywir yr enw yw **Meifod** a gorau po gyntaf y gosodir y ffurf **Feifod** neu **Y Feifod** ar yr arwyddbost ger Llangollen.

Yr elfen **bod** 'cartref, preswylfod' yw ail elfen yr enw hwn, a barn Syr Ifor Williams am yr elfen gyntaf **mei-** oedd mai ffurf ydoedd a ddeilliodd o'r hen air **meidd** 'canol, hanner', geiryn sy'n perthyn i'r Lladin *medius* 'canol' ac sy'n rhan o'r gair **per-fedd**. Dichon, felly, mai ystyr y cyfuniad **mei(dd) + bod** yn **meifod** yw 'hanner trigfan' neu 'lety, *lodging*' neu, yn wir, fel yr awgrymodd Melville Richards yn gynharach (gan ddilyn Syr Ifor yn ei ddehongliad o **Meidrum** fel y **drum** 'cefnen' canol), preswylfod mewn lle 'yn y canol' fel petai, rhwng hendref a hafod ar gyfer y sawl a symudai o'r naill le i'r llall yng nghwrs yr hen drefn amaethyddol wledig, a hynny sy'n cael ei ffafrio yma.

Beth yw **Meiros** felly? Ai **rhos** mewn safle canolog (ond mewn perthynas â pha le arall)? Ai 'canol y rhos'? Ai tir agored sy'n rhostir? Anodd bod yn sicr erbyn hyn. Y ffurf gynharaf a welwyd hyd yma yw **Mayros** 1610, yna **Miras** 17 ganr., **Meiros** 1701-2, **Maeres** 1833, **Meyroes farm** *c.*1840, **Mairos** 1884. Yn 1610, yr oedd yn gartref i ŵr cefnog o'r enw William Thomas, digon cefnog i dderbyn £600 (swm sylweddol iawn bryd hynny) gan Syr John Stradling mewn gweithred ariannol ynglŷn â throsglwyddo tir.

Tybed ai **Meiros** oedd rhagflaenydd *Llanharan House* fel tŷ cyfrifol y plwyf? Dichon fod enwi **Mynydd Meiros** yn awgrymu hynny.

T.R./G.O.P.

Morlanga

Enw fferm ym mhlwyf Llanbedr-ar-fro, Morgannwg yw hwn (i fod yn fanwl gywir, fel y mynnai'r Athro G.J. Williams) neu Lanbedr-y-fro, ac er nad yw'r enw yn ymddangos yn dywyll ei ystyr y mae'n syndod cymaint y drafferth a barodd y ffurf i'r di-Gymraeg, gan gynnwys un cynnig dysgedig i'w esbonio fel enw Sgandinafaidd.

Y ffurfiau cynharaf a gasglwyd hyd yma yw **Morlange** 1813-14, **y Morlangey** 1654-5, **morellange** 1687, ac yna daw'r ffurfiau sy'n dechrau â'r Saesneg *moor*: *Moorelangey* 1712, *Moorlonge* 1738, *Moor Langey* 1790 ac yn y blaen hyd y cyfnod diweddar nes adfer y ffurf gywirach **Morlanga**.

Saif y fferm ar dir sy'n ymylu ar afon Elái, tir isel sy'n chwannog i gael ei orlifo gan ddŵr yr afon, ac yn rhinwedd ei sefyllfa anodd gweld dim amgen na'r gair **morlan** fel elfen gyntaf yr enw. Cytunir hefyd mai **cae** yw'r ail elfen, a aeth yn **ca** ar lafar gyda'r llafariad yn hir, ond yn fer yma yn y sillaf olaf ddiacen.

Y mae **morlan** yn gyfystyr â **morfa** i bob pwrpas ymarferol, ond diddorol yw nodi mai prif elfen y ddau air yw **môr**, y naill gyda **glan** 'min, ymyl' fel yn 'glan y môr' a chyda'r ystyr hwnnw hefyd, yn wreiddiol, a'r llall gyda'r terfyniad **-fa, ma** 'lle' ac yn golygu tir isel neu gorstir ar lan y môr a orchuddir gan ddŵr ar adegau, *'salt-marsh, fen'*. Mae'n amlwg fod eu hystyron, wrth gwrs, wedi lledu yng nghwrs amser i gyfeirio at dir gwlyb a lleidiog, rhos, gwaun, mewn mannau ym mherfeddion gwlad ac ymhell o'r môr. Dengys y ffurfiau sy'n dechrau â'r Saesneg *moor*, felly, rywfaint o ddealltwriaeth o'r ystyr.

Ceid lle, neu dŷ o'r enw **Morlanga** ym Merthyr Tudful hefyd cyn dyfod y diwydiannau trwm i'r ardal, er mai **Morlangau** yw'r ffurf a ddefnyddir gan Ddafydd Morganwg, ac fe rydd yntau enghreifftiau o'r ymdrechion a wnaed yn ei gyfnod ef i esbonio'r enw. Ffurf ar y Saesneg *furlong* oedd un; ffurf ar enw perchennog, *Morley*, oedd un arall; ond chwarae teg iddo, y mae ef ei hun yn bendant o blaid **morlan + cae**. Ceir cofnod o le o'r un enw hefyd ym mhlwyf Ystradowen yn y Fro a ymddengys fel *Burlonga* yn 1760 a *Bodlonga* ar fap cyntaf yr Ordnans yn 1833, ond *Moorlanga Farm* 1824. Erbyn heddiw, collwyd yr enw gan mai **Ffald Farm** yw enw'r fferm bellach.

G.O.P.

Mynydd Twr/Mynydd Tŵr

Mynydd Twr yw'r enw Cymraeg ar y bryn uchel ar Ynys Cybi, Môn ger tref Caergybi – y man uchaf ym Môn. Gellir ei weld filltiroedd i ffwrdd o wastadedd Môn. Cofnodir yr enw gyntaf gan John Leland yn 1536-9 a'r ffurf a geir yw **Mynydd-y-Turr**. **Mynydd Twr** (**twr** gydag **w** fer) yw'r ynganiad a glywais i erioed o'm plentyndod hyd yn gymharol ddiweddar ac yr oedd Melville Richards o'r farn mai **twr** 'pentwr, cruglwyth' oedd elfen olaf yr enw, nid **tŵr**, *tower*. Byddai hyn yn gweddu â siâp a ffurfiant y bryn.

Fodd bynnag, ar ôl ailddarganfod olion *pharos* – goleudy Rhufeinig – ar gopa'r bryn yng nghanol hen gaer a gafodd yr enw **Caer y Twr** rai blynyddoedd yn ôl, bu sawl ymgais i wneud **Mynydd y Tŵr** o'r enw. Tybed pa un sydd yn gywir?

Serch fod digonedd o ffurfiau o'r enw **Mynydd Twr** ar gael a serch fod yr elfen **twr** yn digwydd mewn enwau eraill yn y cyffiniau – enwau megis **Afon y Twr, Cors y Twr** a **Melin-y-twr**, nid yw'n bosib dweud o'r ffurfiau beth yn union yw'r ynganiad cywir.

Ceir llawer o dystiolaeth hanesyddol ac ieithyddol am **Gaer y Twr** yng ngweithiau Lewis Morris (1701-1765) a fu'n swyddog tollau yng Nghaergybi am rai blynyddoedd. Y mae'n cyfeirio at y goleudy ar ben y bryn sawl gwaith er iddo ef gredu mai rhyw fath o wylfa *'watch tower'* oedd yr hen dŵr. Yna mewn llythyr at ei frawd Wiliam yn 1757, a oedd hefyd yn swyddog tollau yng Nghaergybi, ceir y pennill hwn:

> O dedwydd, dedwydd, dedwydd,
> Pe gwelai ei fod yn ddedwydd,
> Y dyn sy' nghysgod Mynydd Tŵr
> A dyna'r gŵr sy ddedwydd.

Gan fod Lewis Morris yn odli **gŵr** a **tŵr** yn y pennill hwn y mae'n amlwg ei fod ef o'r farn mai **tŵr** *'tower'* nid **twr** 'pentwr' oedd elfen olaf yr enw.

Felly y mae tystiolaeth yr hynafiaethwyr yn gogwyddo at **tŵr** ond y mae'r ynganiad cynhenid yn sicr yn gogwyddo at **twr**. Mewn erthygl a gyhoeddwyd yn 1921 dywed Owen Roberts a fagwyd yng Nghaergybi hyn:

> *Its name Mynydd Twr (the word* Twr *having a brief sound) has possibly the same meaning as the Devon and Cornish* Tor *('rocky outcrop').*

Yr wyf fi yn dal o'r farn mai **twr** 'pentwr' yw elfen olaf yr enw ond fe adawaf i'r darllenwyr benderfynu drostynt eu hunain.

T.R.

Pantaquesta

Dyma'r ffurf a geir ar fap yr Ordnans, ac o'i gweld pwy na sylwa ar ei hynodrwydd gan ddyfalu, efallai, sut y digwydd y cyfuniad anghyfiaith *-qu-* mewn enw Cymraeg, canys hynny ydyw mewn gwirionedd, fel y dengys y ffurfiau cynharaf ohono ar glawr. Dyma rai: **Pant Ygwestay** 1558-9, **Pant y gwestaye** 1574, **Pant y Gwestay** 1627, **Pant y Gwestey** 1641, **Pant y Gwesty** 1660-1, **Pant y gwesta** 1768. Y ffurf wreiddiol, felly, oedd **Pantygwestai** ac fe welir caledu cytsain flaen yr ail elfen erbyn 1838 **Pantycwesta** er bod **Pant-y-cwestau** wedi ei gynnwys ar fap modfedd cyntaf Swyddfa'r Ordnans yn 1833, ffurf sy'n llawer haws dygymod â hi na ffurf y map modern.

Enw ydyw ar hen gartrefle a adferwyd yn gywrain i'r de o draffordd yr M4 rhwng pentref Meisgyn a Chastell Hensol, ond purion peth fyddai sylwi mai enw clostir ydyw yn un o ddogfennau stad Hensol y codwyd y ffurf 1574 uchod ohoni a'i fod, fel llawer tebyg iddo, wedi ei gadw fel enw'r tyddyn neu fferm a godwyd ar y tir hwnnw yn ddiweddarach.

Y mae **pant** yn addas fel elfen gyntaf yr enw yn y cyswllt hwn, ond anodd bod yn bendant ynglŷn â'r ail elfen yn absenoldeb ffurfiau cynharach na 1558-9. Ai'r un ystyr sydd i **gwestai** yma ag sydd i'r gair yn nhestunau'r hen Gyfraith Gymreig? Ynddynt, yn ychwanegol at y pedwar swyddog ar hugain a geid mewn llys brenhinol, dywedir bod deuddeg **gwestai**, a dyletswydd y gwesteion oedd gofalu am gasglu ymborth i gynnal y brenin a'i lys.

Y cwestiwn yw, a yw'r enw **Pantygwestai** yn mynd yn ôl i'r cyfnod hwnnw pan oedd y gyfundrefn fel y disgrifir hi yn nhestunau'r gyfraith mewn bod? Ni ellir profi hynny oddi wrth ddyddiadau'r ffurfiau hynaf o'r enw a feddwn, ond llai boddhaol, efallai, fyddai ceisio gwneud synnwyr o'r enw (gyda **pant** fel elfen gyntaf) trwy roi i **gwestai** yr ystyr sy'n fwy cyfarwydd i ni heddiw, sef 'gŵr gwadd, lletywr, ymwelydd'.

Nid llwyr annerbyniol fyddai synio am y tir gwreiddiol yma fel rhodd i westai teulu un o hen arglwyddi cwmwd Meisgyn cyn dyfod y Normaniaid i Forgannwg.

G.O.P.

Pantygwydir

Nid hawdd cynefino â gweld yr enwau *Gwydr Crescent*, *Gwydr Square* a *Pant-y-Gwydr Road* yn ardal Uplands, Abertawe, yn cael eu sillafu yn y modd yma yn gynyddol bellach ar y mapiau a hefyd, gwaetha'r modd, yng ngwaith awduron lleol. Pe gofynnai'r di-Gymraeg am esboniad ar yr enwau yn y diwyg hwn byddai problem yn codi wrth geisio cysoni bodolaeth y gair **gwydr** '*glass*'.

Yn gynnar yn y bedwaredd ganrif ar bymtheg yr oedd yr ardal y ceir hwy ynddi i'r gorllewin o graidd masnachol porthladd Abertawe yn dal i fod yn wledig, gyda'r tir yn disgyn yn raddol o'r tir uchel uwchben y dref, cefnen bresennol y Townhill a'r Mayhill, ac enw disgrifiadol sy'n cyfeirio at nodwedd arbennig o'r amgylchedd oedd **Pantygwydir**.

Daeth yn enw ffermdy yng nghyffiniau'r heol bresennol a enwyd ar ei ôl, ac fe ategir yr enw mewn rhestr dda o ffurfiau ar glawr, gan gynnwys **Pantgwyder** 1599, 1626, 1651, **Pantguydir** 1650, **Pant Gwider** 1736, **Pantywidir** 1776, **Pant Gwydir** 1798, a llurguniad cartograffyddol George Yates, **Penquidar** ar ei fap yn 1799.

Ail elfen yr enw yw **gwydir** sydd, fel **gwedir**, yn ffurf amrywiol ar **godir**, lle ceir y rhagddodiad **gwo-**, **gwa-**, sy'n lleddfu'r ystyr i raddau, gyda **tir**, i roi'r ystyr 'tir isel, pant, llethr'. **Gwydir**, neu **Gwedir**, yw enw cartref enwog y Wyniaid yn Nyffryn Conwy hefyd, wrth gwrs, a cheir **Rhosygwidir** fel enw ym mhlwyf Llan-y-cefn, sir Benfro.

Fe allai **pant**, felly, fel elfen ychwanegol yn **Pantygwydir**, fod braidd yn ddianghenraid ond dichon mai cyfeirio a wna at bant ar y llethr. Nid yw'n bosibl bod yn sicr bellach.

Daeth yr adeilad dirodres gwreiddiol i feddiant teulu Tennant ac fe'i hehangwyd rhyw gymaint tua 1860 i John Crow Richardson, Glanbrydan, Maenordeilo, ond fe'i dymchwelwyd yn 1908, aberth arall i dwf maestrefol tref ddiwydiannol.

G.O.P.

Penamser

Weithiau y mae'n rhaid i astudiwr enwau lleoedd, yn wyneb diffyg tystiolaeth ac yn enwedig ddiffyg ffurfiau, esbonio enw anodd drwy edrych ar enwau cyffelyb a datblygiadau seinegol cyffelyb. Rhaid iddo hefyd ddyfalu tipyn.

Enw fel hyn yw **Penamser** – enw ar fferm ger Porthmadog a fu'n blasty gynt a hefyd safle Eisteddfod Genedlaethol Porthmadog, 1987. Cofnodir yr enw gyntaf yn 1656, ond nid oes unrhyw newid yn y ffurfiau o gwbl. **Penamser** a geir yn ddigyfnewid drwy'r canrifoedd. Prin y gellir esbonio'r enw ar sail y ffurfiau sydd ar gael. Nid yw'r elfen **amser** yn digwydd mewn unrhyw enw lle arall yng Nghymru hyd y gwn. Rhaid fod rhyw newid wedi digwydd yn yr enw cyn 1656. Y mae'r hynafiaethwyr Myrddin Fardd ac Alltud Eifion yn ceisio esbonio'r enw drwy adrodd chwedlau am y llanw ac am yr amseroedd y cludai cychwyr deithwyr o Eifionydd drosodd i Feirion cyn codi'r cob ym Mhorthmadog. Prin fod sail i'r chwedlau.

Ffurf wreiddiol yr enw **Penmachno** oedd **Pennantmachno**. Cofnodir y ffurf **Pennant Machno** yn 1301-2. Yr elfennau a geir yn yr enw yw **pennant** 'rhan uchaf cwm neu ddyffryn' a'r enw personol **Machno**. Ffurf wreiddiol yr enw **Penamnen**, enw ar gwm ger Dolwyddelan, oedd **Pennant-beinw**. Enw afon, **Beinw**, yw elfen olaf yr enw hwn. Aeth **Pennant-beinw** yn **Penamnen** erbyn canol yr unfed ganrif ar bymtheg. Yn yr enwau hyn gwelir fod **pennant** wedi troi yn **penam** dros amser. Yn yr enw **Penamnen** diddorol yw sylwi hefyd fod yr **w** gytsain ar ddiwedd yr enw wedi ei cholli yn gynnar – rhywbeth sy'n digwydd yn bur aml mewn enwau lleoedd.

Ar sail y newidiadau yn yr enwau **Penmachno** a **Phenamnen**, credaf mai teg yw casglu mai ffurf wreiddiol yr enw **Penamser** oedd **Pennant-serw** ac y ceir yn yr enw yr elfen **pennant** ac enw afon **Serw**. Credaf mai fel hyn y digwyddodd y newid: **Pennant-serw** > **Pennantser** > **Penanser** > **Penamser**.

Y mae **Serw** yn enw afon cydnabyddedig. Ystyr **serw** yw 'tywyll'. Sonnir am **Nant Serw** yn y Cantref Mawr yn *Llyfr Llandaf*. Ceir **Nant Serw** a **Llyn Serw** yn Ysbyty Ifan a cheir **Llyn Serw** ym mhlwyf Trawsfynydd. Fe ddigwydd rhagflaenydd **serw** yn y Frythoneg – **soruio-* yn yr enw *Sorviodunum* – yr enw Rhufeinig ar *Old Sarum*, safle gwreiddiol dinas Salisbury (Caersallwg).

T.R.

Pencisley

Fel yna y sillefir yr enw ar y mapiau modern, felly hefyd enwau'r strydoedd *Pencisley Road, Pencisley Avenue, Pencisley Crescent* a *Pencisley Rise,* rhwng Llandaf a Pharc Victoria ger Treganna (*Canton*), Caerdydd.

Fe ddichon fod yr **-ely** ar y diwedd yn taro tant ym mhennau rhai oherwydd agosrwydd y lle at afon Elái a sillefir fel *Ely,* wrth gwrs, gan y di-Gymraeg. I'r gorllewin fe red *Pencisley Road* i lawr *Ely Rise* sydd heb fod ymhell o **Bont Trelái**. Yn wir, fe glywais esbonio'r enw yn ddiweddar fel cywasgiad o'r elfennau **pen-cae-is-(e)lái**, esboniad cymen, mae'n rhaid cydnabod, ond nid yw'n debyg fod y ffurfiau o'r enw a gasglwyd yn cadarnhau hynny'n rhwydd.

Nid oes unrhyw reswm dros amau **pen** yn yr ystyr 'brig, copa, tir uchel', ac y mae hynny'n eglur o edrych ar dirwedd yr ardal y safai'r daliad gwreiddiol arno, gan mai hynny ydoedd i ddechrau ar dir agored. Rhaid ei fod yn dyddio o gyfnod cyn canol yr unfed ganrif ar bymtheg gan ei fod wedi ei rannu'n ddwy ran erbyn 1543 pan gofnodir **Pencysle Yssa** sy'n awgrymu bod cymar mewn bodolaeth – y fferm **uchaf**. Fe ddichon mai'r gyntaf a ddaeth yn *Pencisely House* yn ddiweddarach a'r ail yn *Pencisely Farm,* ond fe ddiddymwyd y naill a'r llall yng nghanol y 1930au.

Fel y mae enwau eraill yn y gymdogaeth yn awgrymu, cefnen o dir sydd yma yn codi o'r gorllewin tua'r *Ely Rise* a nodwyd uchod, ac yn ymestyn i'r dwyrain gan ddilyn cwrs y *Pencisley Road* presennol nes disgyn i gyfeiriad Treganna, yn agos i *Penhill* (enw diddorol o gyfystyron Cymraeg a Saesneg) sydd hefyd yn arwyddo codiad tir.

Yr oedd yr adeilad a ddaeth yn *Pencisley House* (*Pen-sisli House* ar fap chwe modfedd yr Ordnans 1886) yn sefyll tua hanner y ffordd rhwng y ddau begwn gyferbyn â'r *Pencisley Rise* presennol (a dyna'r *rise* 'codiad tir' eto) sy'n arwain i lawr i Barc Victoria. Fe ddywedir mai cilbyst clwydi rhif 155 *Pencisely Road* heddiw a geid wrth fynedfa'r hen dŷ.

Rhwng ffurfiau'r enw yn 1543 a 1886 ceir hefyd **Pensisley** 1722, **pen S(h)ishley** 1763, **Pencicely** 1779 a **Pen Sishly** 1833, y rhain oll yn awgrymu'n gryf mai'r enw personol benywaidd **Cicely** yw'r ail elfen, sef y ffurf amrywiol ar **Cecily** a **Cecilia** yn ei ffurf fwyaf cyffredin, **Sisley**.

Dangos meddiant, felly, wna'r enw personol. Y mae'n nodedig am ei fod yn fenywaidd, ond problem sy'n rhaid ei gadael yma yw dod o hyd i'r **Cicely** wreiddiol.

G.O.P.

Pen-cyrn

Dyma enw ffermdy yn ymyl yr hen ffordd o Ystradowen i Aberthin a'r Bont-faen, ger Trerhingyll ym Mro Morgannwg, ac er mai **Penkyrne** 1603 yw ffurf gynharaf yr enw y daethpwyd o hyd iddi hyd yma, fe ystyrir bod yr adeilad presennol yn arddangos nodweddion paensaernïol tŷ sylweddol tua diwedd yr ail ganrif ar bymtheg, yn ôl Comisiwn yr Henebau.

Ymhlith y ffurfiau eraill o'r enw sydd ar gael y mae **Penkirn** 1690, 1786, **Pencirn** 1718, **Penkyrn** 1790, ac fe nodir **Pencurn Wood** 1788 a ymddengys fel **Coed Pen Cyrn** ar fap chwe modfedd Swyddfa'r Ordnans.

Nid hawdd yw sicrhau ystyr yr enw er mor amlwg y gall hynny ymddangos ar yr olwg gyntaf. Ai **cyrn**, lluosog **corn** yn yr ystyr 'pigyn ar dir uchel' o'i gymhwyso at dirwedd lleoliad y ffermdy a geir yma? Prin fod un corn o'r fath, heb sôn am fwy nag un yn y cyffiniau gan fod yr adeilad yn sefyll ar oleddf islaw cefnen o dir sy'n estyn heibio'i dalcen tua'r de. Ni ellir dweud, felly, mai **pen** yn yr ystyr Saesneg *'the end of'* yw'r elfen gyntaf, ac nid ydyw ar **ben** *'top, summit'* y gefnen ychwaith.

Wrth gwrs, y mae **cyrn**, neu **curn** arall sy'n enw benywaidd unigol (nid lluosog) ac sy'n golygu 'pentwr, crug, carnedd' y bu cryn drafod arno fel elfen mewn enwau lleoedd, ac enwau mynyddoedd yn arbennig fel **Y Gurn-goch**, **Y Gurn-ddu** a'u tebyg yng Ngwynedd, a'r ffurf luosog yn **Y Cyrniau**, ac y mae'n rhaid cydnabod fod hen ffurfiau o'r enw a restrwyd uchod fel pe baent yn bur gadarn o'i blaid. Ond cyfyd yr un anhawster mewn darganfod crug neu fwdwl ar ffurf côn neu byramid yng nghyffiniau **Pen-cyrn**, ffurf sy'n nodwedd bur amlwg o gyrniau'r gogledd.

Dichon fod y rheswm dros enwi'r ffermdy bellach wedi diflannu. Heb fod ymhell y mae gweddillion tomen hen gastell arfaethedig Ystradowen a allai fod wedi ei fwriadu i fod yn ganolfan arglwyddiaeth Tal-y-fan gan deulu Sain Cwintin yn y ddeuddegfed ganrif, un ai hynny neu ganolfan arglwyddiaeth Normanaidd **Cherleton** yn 1148-83.

Tybed ai atgof am ryw domen neu fwdwl o waith dynol sy'n aros yn yr enw **Pen-cyrn**?

G.O.P.

Penegoes

Enw ar blwyf a saif ychydig i'r dwyrain o dref Machynlleth yw **Penegoes**. Bu'r enw yn gryn benbleth i lawer ond mewn gwirionedd y mae'n bur hawdd i'w esbonio. Cofnodwyd yr enw gyntaf tua 1201 mewn cytundeb rhwng Gwenwynwyn, tywysog Powys a mynachod Ystradmarchell. Un o'r tystion a enwir yn y cytundeb yw Daniel offeiriad **Pennegoys**. **Penegoes** yw'r ffurf a geir wedyn yn gyson drwy'r canrifoedd, eithr fe ddigwydd rhai enghreifftiau o'r ffurf **Penegwest** yn ystod yr unfed a'r ail ganrif ar bymtheg.

Y mae'n bur amlwg mai'r elfennau a geir yn yr enw yw **pen** 'terfyn', **e** sef amrywiad ar y fannod **y** (amrywiad sy'n gyffredin iawn yn yr Oesoedd Canol) a **coes** *leg*. Fodd bynnag, acennir yr holl enw mewn modd afreolaidd ac anarferol gan fod yr acen yn syrthio ar y fannod **e** (**y**). Y mae'r dull rhyfedd hwn o acennu yn digwydd droeon mewn enwau lleoedd drwy Gymru, ac nid oes neb eto, hyd y gwn, wedi llwyddo i roi rheswm drosto. Ceir yr un math o aceniad yn yr enw **Penyberth**, Llanbedrog, Llŷn (lle disgwylid **Pen-y-berth**) a **Llanycil** ger y Bala (lle disgwylid **Llan-y-cil**). Yn y cyswllt hwn diddorol yw nodi y ceir, dros y canrifoedd, lawer enghraifft o'r ffurf **Llanecil** am **Llanycil**.

Rhaid mai ystyr **coes** yn yr enw **Penegoes** yw 'darn o dir main hir ag ychydig dro ynddo ar ffurf coes'. Fe ddigwydd yr elfen **coes** mewn nifer o enwau lleoedd yng Nghymru – enwau megis **Coes-erw**, Llangynwyd; **Coes-y-fuwch**, Aberdaron; **Coesaugleision**, Buan, Llŷn; **Coesau-gwynion**, Llaneilian, Môn; **Y Goes**, Rhyl a **Coesau'r Cawr**, Llanarmon-yn-Iâl. Y mae'n bosibl weithiau fod **coes** mewn enw lle yn cyfeirio at gefnen o dir.

Y mae enwi darn o dir ar ôl rhan o'r corff dynol am fod cyffelybrwydd rhwng y ddau yn batrwm cyffredin iawn mewn enwau lleoedd yng Nghymru. Digwydd elfennau megis **troed**, **esgair**, **gar**, **braich**, **ysgwydd**, **cefn** a **ffriw** mewn dwsinau o enwau drwy'r wlad. Un o'r enghreifftiau godidocaf y gwn amdano yw **Bawdyddyrnol**, enw ar fwthyn bychan ym mhlwyf Llangristiolus ym Môn. Saif y bwthyn mewn llain o dir ar ffurf dyrnol (dyrnfol) *mitten*. Y mae'r bwthyn ei hun yn sefyll yn union yn y rhan honno o'r llain sydd ar ffurf bawd.

T.R.

Penhefyd

Yn ystod y cyfnodau o Seisnigo a fu ar enwau lleoedd Bro Morgannwg, un math arbennig a ddaeth i fodolaeth oedd yr enw sy'n gyfansawdd o ddwy elfen o'r un ystyr yn y ddwy iaith, Cymraeg a Saesneg.

Enwau felly yw **Brynhill, Garnhill, Maeslon** (sef **maes** a ffurf ar y Saesneg *land*), a **Bryndown** ger Dinas Powys (**bryn** a'r Saesneg *down* yn yr ystyr syml 'bryn' mewn Saesneg Canol) a adferwyd ar gam yn y cyfnod diweddar i'w ffurf Gymraeg dybiedig bresennol, **Bryn-y-don**.

Un o'r rhain, mi gredaf, yw **Penhefyd** yn Sain Ffagan, fferm y faenor ar gyrion Pentrebach sy'n sefyll ar godiad tir bychan, ond digon i'w gosod ar lefel uwch na'i hamgylchedd. Saif pafiliwn clwb criced enwog y pentref gerllaw.

Yn sicr ddigon, nid yr adferf a'r cysylltair Cymraeg **hefyd** yw ail elfen yr enw gan nad yw'n ymddangos yn y ffurf honno hyd ddechrau'r bedwaredd ganrif ar bymtheg: **Penhyfed** ar fap cyntaf yr Ordnans yn 1833 a newidir i **Penhefyd** ar fap chwe modfedd, 1885.

Dyma'r ffurfiau cynharaf: **Penhevette** 1585-6, **Penhevett** 1587, 1608, 1675, **Penhevet** 1609-10, **Penheved** 1766 a **Penhevad's farm** 1765, ac fe awgrymir yn gryf gan y rhain mai'r ffurf Saesneg Canol *hevet, heved,* ar yr Hen Saesneg *hēafod*, a ddaeth yn *head* 'pen' mewn Saesneg Diweddar, a geir fel ail elfen.

Er bod i *hēafod* amryw o ystyron topograffaidd mewn enwau yn Lloegr, ceir cytundeb bellach mai'r mwyaf cyffredin yw 'codiad tir, bryn, bryncyn', ni waeth pa mor ddistadl yr uchder. Gellir dweud yr un peth am **pen** yn y Gymraeg yn yr ystyr 'brig, copa, pwynt uchaf', digon i ystyried **Penheved** fel cyfansawdd o gyfystyron, i bob pwrpas ymarferol, sy'n cyfeirio at y codiad tir y saif y ffermdy arno.

Ac nid hon yw'r unig enghraifft o'r math hwn o enw yn y gymdogaeth. Rhyw led cae i'r dwyrain a'r ochr arall i'r ffordd, yr oedd tyddyn nad yw'n sefyll erbyn hyn y ceir tystiolaeth ym mhapurau stad Plymouth iddo fod unwaith yn rhan o'r un daliad, sef **Pendown** 1766, 1790, **Pen-y-down** 1802. Yma eto ceir **pen** mewn enw cyfansawdd sydd â'i ail elfen yn Saesneg ac yn gyfystyr, sef *down* (fel yn **Bryndown** uchod).

G.O.P.

Penlle'rbrain

Rhwng y Gendros a Fforest-fach ar gyrion gogleddol Abertawe y mae bryncyn sydd heddiw'n dwyn yr enw *Raven Hill*, ac y mae tystiolaeth hen ffurfiau'r enw yn gryf o blaid derbyn mai rhydd-gyfieithiad cymharol ddiweddar i'r Saesneg o'r ffurf Gymraeg uchod yw hwn. Ni welais enghraifft ohono sy'n hŷn na chanol y bedwaredd ganrif ar bymtheg. Ceir yno hefyd *Ravenhill House*, ffermdy gynt, a *Ravenhill Park*, ond yn y cyffiniau cedwir cof am y **brain** yn enwau dwy stryd, **Rhodfa'r Brain** a **Ffordd y Brain**.

Fe ymddengys mai **Tyle'r Brain** oedd enw'r bryncyn yn wreiddiol. Ceir **Tyle'r brayn** yn 1650, gyda **tyle**, y gair pur gyffredin hwnnw a arferir yn y de am 'bryncyn, codiad tir, llechwedd' sy'n mynd yn **tyla** a **tila** ar lafar gwlad, fel prif elfen. Y tebyg yw ei fod yn gytras â'r Wyddeleg *tulach*, o gyffelyb ystyr, sy'n ymddangos bellach fel *tully-* neu *tulla-* mewn nifer sylweddol o enwau yn Iwerddon, *Tully, Tullyrone, Tullaherin, Tullagh* a.y.b.

Bryncyn, felly, a oedd yn amlwg am fod brain yn ei fynychu, gyda **pen** yn cael ei ychwanegu i ddangos lleoliad arbennig ar y tir hwnnw.

Yn wir, ceir **Pentyle y brain** yn 1600, **Pentylarbraene** 1611 ac yna **Pentylau'r Brain** 1720, **Pentyllebrain** 1759, **Pentila(r)brain** 1764.

Cywasgiad sillafog o'r ffurf hon a roes **Penlle'rbrain (Penller Brain** 1799, **Penlle'r-brain** 1830).

Ar yr un pryd y mae ffurf sy'n ymddangos fel ffurf amrywiol i'w chanfod yn y ddeunawfed ganrif, **Pen Llwyn Braen** 1729, 1760, **Penllwynbrain** 1754, 1838, 1854. Ni ellir bod yn gwbl sicr ai at yr un lle yn union y mae'r ffurf hon yn cyfeirio ond y mae'r naill a'r llall i'w lleoli, yn fras, mewn ardal a adwaenid mewn dogfennau o ddechrau'r bedwaredd ganrif ar ddeg fel *Crow Wood*: *Crowewode* 1305, *Crowode* 1319. **Penllwynbrain** yw'r agosaf o ran ystyr ond fe ymddengys fod y **brain** yn elfen gyffredin i'r holl ffurfiau hyn.

Yn olaf, gair o rybudd. Y mae enwau eraill ym Morgannwg, fel **Penlle'rgaer, Penlle'rcastell, Penlle'rbebyll, Penlle'rfedwen, Penlle'r-neuadd**, ond ni ddylid ystyried eu hesbonio fel ffurfiau a luniwyd ar lun a delw **Penlle'rbrain**. Hyd yma, ni welwyd arlliw o'r elfen **tyle** ymhlith y ffurfiau a gasglwyd o'r enwau hynny.

G.O.P.

Penllwyn-sarff

O droi i fyny'r llechwedd ym Mhontllanfraith o'r ffordd sy'n arwain i'r Coed-duon yn nyffryn Sirhywi, cawn ein hunain mewn maestref eang sy'n dwyn yr enw **Penllwyn** ar y map. Canolbwynt yr ardal yw'r *Penllwyn Arms*, adeilad talcennog sylweddol sy'n amlwg yn hen yn ei hanfodion. Dyma leoliad hen dŷ **Penllwyn-sarff** ym mhlwyf Mynyddislwyn, cartref cangen o Forganiaid niferus Gwent yn yr unfed ganrif ar bymtheg, **Penllwyn-sarph** mewn rhai dogfennau (ffurf na ddylid ei harddel), a **Penllwyn-sarth** mewn rhai eraill, ffurf amrywiol ar lafar gwlad.

Prin fod yn rhaid i ni oedi gyda'r elfennau **pen** a **llwyn** yn yr enw, ond y mae'r olaf, **sarff**, wedi gafael yn nychymyg sawl un y bu ei fryd ar esbonio'r ystyr. Fel rheol, cymerir yn ganiataol mai'r gair cyffredin **sarff**, a ddaw o'r Lladin *serpens* (*serpent* yn Saesneg) sydd yma, ac fe wnaed un cynnig i greu mytholeg gysylltiedig â'r anifail hwnnw gan roi'r ystyr Saesneg *'the end of the serpent's grove'* i'r enw.

Fodd bynnag, y mae yna **sarff** arall yn y Gymraeg, sef yr elfen a geir yn y cysylltiad **pren sarff**, yr hyn a elwir yn Saesneg yn *service-tree*, un o'r coed hynny o rywogaeth y *sorbus* sy'n dwyn aeron bychain (y mae'r gerddinen neu'r griafolen yn perthyn hefyd).

Y mae tras bosibl y ffurf honno yn dra diddorol gan y gall fod yn fenthyciad o ffurf ar yr Hen Saesneg *syrf(e)* a ddefnyddid yn enw ar y pren ac ar ei ffrwyth fel ei gilydd, ac y credir y gall hithau fod, yn ei thro , yn seiliedig ar ffurf a ddeilliodd o'r Lladin *sorbus*.

Erbyn yr Oesau Canol, ffurf luosog ar hon oedd *sarves, serves*, yn cyfeirio at y ffrwyth, ond a ddaeth i gael ei sgrifennu fel *service* yn ddiweddarach trwy gydweddiad sain â *service* 'gwasanaeth', sy'n air hollol wahanol.

Dichon fod peth ansicrwydd ynglŷn â'r tarddiad, ond os cywir ydyw gellir derbyn fod y **sarff** Cymraeg, yn **pren sarff**, yn fenthyciad pur gynnar o ffurf lafarog amrywiol ar yr Hen Saesneg *syrf(e)*.

Felly, y tebyg̀ yw mai cymar i enwau fel **Llwyn-onn, Llwyn-bedw, Llwynhelyg** a'u tebyg yw **Llwyn-sarff.**

G.O.P.

Pentrehaearn

Ar un o fapiau Swyddfa'r Ordnans dyma'r ffurf a geir ar enw fferm sylweddol ar lethrau Mynydd March Hywel ac ar ochr ddwyreiniol Dyffryn Clydach. Hon yw'r Glydach (un o wyth o afonydd sy'n dwyn yr enw ym Morgannwg) a red i lawr o gyffiniau Cilybebyll i Nedd ger yr hen fynachlog. Ar fap cyntaf yr Ordnans o'r ardal yn 1830 y ffurf yw **Pentre-haiarn**, ac o gofio mai **harn** yw'r amrywiad llafar ar **haearn, haern** yn siroedd Caerfyrddin a Morgannwg, a Gwent, gellid tybio mai'r ynganiad hwnnw yw sail y ffurf Seisnigaidd **Pentreharne** ar y map 1:25,000, cyfres *Pathfinder*.

Camgymeriad fyddai credu hynny, fodd bynnag, ac y mae cip ar y gwirionedd i'w gael o beidio ystyried **pentref** fel yr elfen gyntaf a chanolbwyntio yn hytrach ar **-treharn(e)** fel ail elfen.

Yn ffodus, y mae nifer o hen ffurfiau'r enw ynghadw ym mhapurau stad Plas Cilybebyll, a dyma nhw: **Bryn(n) Traharne** 1601-5, 1671, **Brynn Treharne** 1642, **Bryntreharne** 1663-4, **Brintreharne** 1689-90, **Bryntreharn** 1711, **Bryn Treharne** 1748-9. Gyda'r **bryn** cyffredin fel elfen gyntaf gall yr ail fod yn un ai'r cyfenw **Traharn(e)**, (o **Trahaearn, Trahaern, Traharn**, sef y rhagddodiad **tra-** sy'n cryfhau ystyr + **haearn** fel yn yr enwau **Aelhearn, Cynhaearn, Cadhaearn**) gyda'i amrywiadau niferus fel **Treharn(e), Trahern(e), Trehern(e)**, neu'r enw personol Cymraeg **Trahaern, Trahaearn** ei hunan, i ddangos meddiant neu gysylltiad agos ar un adeg.

Oherwydd prinder ffurfiau i ddangos yn wahanol, ymddengys mai ynganiad llac o ffurf fel **Bryntreharn** a chydweddiad â'r elfen hynod gyffredin **pentref** a esgorodd ar **Pentreharn, Pentrehaearn** y mapiau yn gymharol ddiweddar.

Enghraifft o driniaeth bur debyg, gydag elfen gyntaf wahanol, yw'r enw **Troed-yr-harn** ar yr A470 ger Llanddew i'r gogledd o dref Aberhonddu. Ceir **Lloyn tretryharn** yn 1580, sef **llwyn + tref + Tryharn (Traharn)**, a phrofir hynny gan y ffurf Saesneg gynharach *Traharneston* yn 1331, lle ceir y *ton* Saesneg 'fferm, cartrefle' yn gywir am **tref** yn ei ystyr gynnar. Aeth **Tretraharn** yn **Troed-yr-harn** yno.

G.O.P.

Pigyn Siw

Wrth ddarllen nodyn cynhwysfawr yr Athro Gwynedd Pierce ar **Dwyn Bwmbegan** (t.100) daeth i'm cof y graig uchel ger Eglwys Cerrigceinwen ym Môn lle bûm yn chwarae pan oeddwn yn blentyn. Yr oedd ogof wrth droed y graig, **Ogof Pitar Grae**, a chofiaf yr arswyd a ddeuai drosof wrth edrych i berfeddion tywyll yr ogof. Yr oedd creigiau llai gerllaw ac y mae'n debyg mai at y creigiau hyn y cyfeiria'r elfen **cerrig** yn yr enw **Cerrigceinwen**.

Fodd bynnag, enw trigolion Cerrigceinwen heddiw ar y graig uchaf yw **Pigyn Siw**. Arferai Ifan Gruffydd hefyd ddringo'r graig pan oedd yn blentyn, ddegawdau lawer o'm blaen i a chyfeiria ati fel hyn:

> Aeth â mi wedyn i ben Pigyn Siw, bryncyn uchel ger llaw Eglwys Cerrigceinwen, a dangosodd i mi oddi yno fynyddoedd Wiclo yn yr Iwerddon . . .

Ffurf fachigol **pigyn** yw **pig** a thybir bod **pig** yn ei dro yn fenthycair o'r gair Saesneg Canol *pik(e)* 'blaen, pwynt'. Y mae **pigyn** yn digwydd droeon mewn enwau lleoedd yng Nghymru yn yr ystyr 'blaen main craig neu fryn'. Ceir ef mewn enwau megis **Pigyn** yng Nghaeo a Gwnnws Isaf, Ceredigion ac yn **Pigyn Esgob**, Penmachno. Cyfeiria'r enw **Pigyn Niclas** yng Nghaeo at adeilad ar ffurf cyrnen a godwyd gan Syr Nicholas Williams, Rhydodyn ar fynydd Llansadwrn. Y mae'r elfen Saesneg *pike(e)* hithau'n digwydd mewn enwau lleodd yn Lloegr megis **Pickhill**, **Pickup** a **Stone Pike**.

Y mae ail elfen yr enw **-siw** yn fwy o broblem. Tybiai nifer o drigolion Cerrigceinwen mai ffurf Gymraeg ar yr enw **Sue** – ffurf fer yr enw **Susan** – ydoedd. Dywedodd un ohonynt wrthyf mai enw gwraig fferm Cerrigceinwen gerllaw ar un adeg oedd **Siw**. Anodd yw credu hyn oll. Y mae'n debycach mai'r ansoddair **syw** 'teg, hardd' yw'r ail elfen. **Siw** fyddai ynganiad naturiol **syw** ym Môn. Hyd y gwn y mae **syw** yn digwydd mewn o leiaf un enw lle arall yng Nghymru sef **Glynsyw**, Llanllwch, Caerfyrddin (1713 **Clynsyw, Maensyw**).

Felly ymddengys mai 'bryncyn pigfain, hardd' yw ystyr **Pigyn Siw** – enw prydferth ar lecyn distaw sy'n perthyn i ddyddiau fy mebyd.

T.R.

Plas Milfre

Lle dangosir lleoliad Plas Milfre ar y map heddiw ar y rhostir uchel yn ymyl Brithdir, i'r gogledd o dref bresennol Bargoed, **Faldray** yw'r enw a geir ar fap John Speed o Forgannwg yn 1610. Felly hefyd ar fap Johan Bleau yn 1645, ond yn wallus fel **Taldray** gan Emanuel Bowen ar ei fap ef yn 1729.

Y mae'n bur amlwg mai'r hyn a welir yn y rhain yw ymgais i gynrychioli enw y ceisir ei gyfleu mewn cyfres o ddogfennau yng nghasgliad papurau John Capel Hanbury, y diwydiannwr o Bont-y-pŵl a oedd yn berchen ar dir yn y gymdogaeth. Ynddynt ceir **Tir yffalledre** 1507-8, **Tiry Falledre** 1508, **Tyr y Ffuldre** 1511.

Daw'r ffurfiau hyn ag enw'r hen fferm **Tonyfildre** (**Ton-y-ffildre** ar rai mapiau) i ystyriaeth, **Tonvildrai** 1805, a **Tonfildra** ar lafar, a saif yn ymyl yr hen gaer Rufeinig yng nghyffiniau Coelbren, ar afon Pyrddin, ger y ffin rhwng Morgannwg a Brycheiniog.

Yn y naill enw, gyda **tir**, a'r llall, gyda **ton**, y tebyg yw fod y brif elfen yn gyfansawdd o'r gair Cymraeg **mil** 'anifail', sef hwnnw a geir yn **bwystfil**, **morfil**, **milgi** a.y.b., a **tref** yn ei ystyr gysefin 'cartrefle, ffermdy', y cyfan yn arwyddo, efallai, nodwedd arbennig y daliad mewn cysylltiad â da byw.

Amlwg hefyd yw fod y fferm yn un sylweddol gan fod y Comisiwn Henebau yn cyfeirio droeon at nodweddion arbennig yr adeilad fel nad oes syndod gweld yr elfen ychwanegol **plas** yn ymddangos fel arwydd o'i statws yn y bedwaredd ganrif ar bymtheg, **Place Mildra** *otherwise* **Tye Evan Thomas** 1834.

Rhaid derbyn, felly, mai ymgais fwriadol i roi ystyr i'r enw sy'n cyfrif am y ffurf bresennol **Milfre**, gan nad yw cyfnewid **d** am **f** yn digwydd yn rhwydd ar lafar. Gall fod peth cydweddiad hefyd â'r ffurf gyffredin **moelfre** wedi hyrwyddo'r newid, lle ceir **bre** 'bryn, ucheldir' fel ail elfen.

Dylid nodi ar yr un pryd fod yr enw **Ffald-y-dre** (**Fald y Dre** 1731) i'w gael ar ffermdy sydd bellach wedi mynd yn adfail ond a oedd yn dyddio o ddechrau'r ail ganrif ar bymtheg, onid cyn hynny, yn nyffryn Clydach Uchaf, Resolfen, ond efallai mai rhy arwynebol yw'r tebygrwydd rhwng yr enw hwn a'r **Falledre** 1506 a nodir uchod. Ni ellir bod yn bendant, yn absenoldeb ffurfiau cynharach.

G.O.P.

Pont-rhyd-y-fen

Y mae'n amlwg fod nifer o enwau lleoedd yng Nghymru sy'n cynnwys cyfeiriad at ddau fodd i groesi afon neu nant: **rhyd** a **pont**.

Rhesymol fyddai credu mai **rhyd**, sydd nid yn unig yn golygu *ford* yn Saesneg ond sydd hefyd yn gytras â'r gair hwnnw, yw'r elfen hynaf yn yr enwau lleoedd sy'n adlewyrchu hynny'n syml trwy ychwanegu **pont** at yr enw gwreiddiol sy'n dechrau â **rhyd**.

Ryd y venn yw'r ffurf a geir tua 1460-80 fel enw'r rhyd ger cymer y ddwy afon Pelenna ac Afan ym Morgannwg, gyda'r gair benywaidd **ben**, lluosog **benni**, 'cert, trol, gwagen' fel ail elfen sy'n nodi'n benodol y math o drafnidiaeth a wnâi ddefnydd o'r rhyd. Erbyn *c.*1536-39 ceir **Ponte Rethven** gan yr hen hynafiaethwr John Leland, a wnaed o bren dros afon Afan meddai, a **Pont Rhyd y ven** yn 1714. Yn sicr, enw'r bont, fel enw'r rhyd yn gynharach, yw hwn ac nid enw'r lle gerllaw.

Cam pellach yw'r datblygiad hwnnw gan mai'r enw yn 1601 yw **Tir pont rydyven**, ac yn 1756 **Tyr Pen Pont Rhyd y ven** sy'n awgrymu daliad o dir ger pen y bont lle daeth pentref i fodolaeth. Wedi hynny y collwyd yr elfennau **tir** a **pen** gan ddychwelyd at ffurf 1714 a barhaodd hyd heddiw.

Hanes pur debyg o golli'r elfennau **pen** a **tir** sydd i ddau enw arall pur adnabyddus ym Morgannwg nad oedd **rhyd**, fel y mae'n digwydd, yn rhan o'u henwau. Yn achos **Pontardawe, Tir penybont ardawe** a geir yn 1583-4, ond **Ty pen y bont ar y Tawey** 1675 a **Ty penybont ar tawe** 1710-11, lle ceir peth ansicrwydd dogfennol rhwng **tir** a **tŷ**, cyn adfer **Pontardawe**. **Penybont ar ddylays** oedd **Pontarddulais** yn 1578, ond nid oes dim tystiolaeth i **Ben-y-bont ar Ogwr** fod yn ddim amgen na ffurf Gymraeg ar *Bridgend*.

Un enghraifft arall adnabyddus o dalfyriad nid annhebyg (gyda **tal** yn lle **pen**) yw hwnnw a welir yn enw **Llanbedr Pont Steffan** yng Ngheredigion. Er bod **Lampeter Pount Steune** i'w gael yn 1301, **Lampeder Talpont** ydyw yn 1303-4, yna **llanbedyr tal pont ystyuyn** 14 ganr. a **Lampeder tal pont stevyn** 1407, nes cael **ll.bedr bont ystyfyn** *c.*1566.

G.O.P.

Porset

Saif hen ffermdy **Porset**, anhedd-dy erbyn hyn, ger y bont dros afon Rhymni y tu cefn i faes Clwb Rygbi Bedwas. Gyferbyn y mae *Porset Row* ar fin yr hen ffordd dyrpeg o Gaerffili i Fedwas (a goffeir yn y *Tollgate Close* cyfagos) ac yn y cyffiniau rhed nant gref i Rymni sy'n dwyn yr enw *Porset Brook*.

Dyma ffurfiau cynharaf yr enw sydd ar gael: **Possett** 1699, 1716-7, 1727, **Porsed** 1729-1851, **Porset** 1747, 1750 a.y.b., **Poset** 1756, ac y mae'r ffurf yn un dra diddorol gan y gall fod (ni ellir bod yn fwy pendant) yn Gymreigiad llafar o enw Saesneg tafarn o'r enw y *Boar's Head*.

Gellir cymharu caledu'r **b-** i **p-** ar ddechrau'r ffurf Saesneg â'r hyn a ddigwyddodd mewn benthyciadau fel **potel** o *bottle*, **planced** o *blanket*, **powl(en)** o *bowl* a.y.b., ac er bod y **-d** derfynol hithau wedi ei chaledu yn y trosglwyddiad i'r ynganiad Cymraeg, y mae tystiolaeth gadarn, fel y nodwyd uchod, i'r ffurf **Porsed** yn ogystal.

Y broblem yw penderfynu lleoliad y *Boar's Head* gwreiddiol, os cywir yr awgrym uchod.

Rhed y nant sy'n dwyn yr enw i lawr o ben deheuol tref Caerffili yng nghymdogaeth y Twyn, a thu cefn i'r siopau newydd diweddar gyferbyn â'r castell, gan gynnwys gwesty neu dafarn bresennol y *Boar's Head*. Ceir *Porset Drive* a *Porset Close* fel enwau dwy o'r strydoedd cefn yno. Dywedir fod i'r dafarn hon beth hynafiaeth sy'n mynd yn ôl i'r ail ganrif ar bymtheg o leiaf.

Hwylus fyddai gallu bod yn gadarn ein barn mai'r dafarn hon a roes ei henw i'r nant oherwydd ei hagosrwydd (rhedai trwy'r ardd gefn, fel petai), a bod **Porset**, y fferm – gryn bellter i ffwrdd ond ger y man lle'r arllwys y nant i afon Rhymni – wedi ei galw felly ar ôl enw'r nant.

Ar hyn o bryd erys cryn ansicrwydd ynglŷn â'r posibilrwydd mai tafarn oedd y fferm hithau ar un adeg, ac y gallai fod wedi arddel yr enw *Boar's Head*. Cyfyd yr anhawster o wybod ambell ffaith am aelodau o deulu Price a fu'n amlwg yn hanes Caerffili. Bu'r fferm yn gartref i nifer ohonynt, a hefyd fe'u cysylltir â'r *Boar's Head* mewn nifer o ddogfennau. Anodd yw ceisio darganfod ai at yr un lle y cyfeiria'r rhain ynteu at leoedd gwahanol.

G.O.P.

Rhydlafar

Priodol yw nodi'r enw hwn oherwydd i'r ysbyty orthopedig enwog a adwaenir yn gyffredinol fel Ysbyty Rhydlafar yn hytrach nag wrth ei enw swyddogol, Ysbyty Tywysog Cymru, gau yn ddiweddar. Sefydliad ydoedd a ddechreuodd ei oes fel casgliad o gabanau a oedd yn ysbyty i gleifion awyrlu America yn ystod yr Ail Ryfel Byd, cyn ei addasu gan y Gwasanaeth Iechyd fel uned orthopedig yn 1953.

Wrth gwrs, enw ffermdy cyfagos yw **Rhydlafar** a oedd â digon o statws i'w alw'n *mansion house* mewn dogfen sy'n enwi **Rhydlarfar** yn 1666. Fe'i henwyd felly oherwydd ei agosrwydd at ryd ar nant fechan sy'n codi yng Ngwernycegin ac sy'n rhedeg bellach dan y ffordd o Gaerdydd i Lantrisant i ymuno â Nant Dowlais ac ymlaen i afon Elái i'r gorllewin o Sain Ffagan.

Niferus yw'r hen ffurfiau o'r enw sydd ar glawr ond nid ydynt mor gynnar, efallai, ag y gellid disgwyl gan mai gan yr hen hynafiaethwr John Leland y ceir y gynharaf, **Rethlauar** 1536-9, yna daw **Rydelaver**, **Rydelavar** 1570, **Rhydlavar** 1604, **Rydlavarre** 1621, **Redlaver** 1625 ac yn y blaen, heb ddigon o amrywio yn y ffurf i wneud unrhyw wahaniaeth i'r casgliad mai'r elfennau a geir ynddo yw'r enw benywaidd **rhyd**, a'r ansoddair **llafar** 'atseiniol, parablus, siaradus' sy'n gytras â'r Wyddeleg *labar* o gyffelyb ystyr, hefyd y Llydaweg *lavar* 'gair, lleferydd' a Chernyweg Canol *lauar*, oll o wreiddyn Celtaidd **labaro-*.

Yr unig ansicrwydd yw penderfynu ai at y **rhyd** ynteu at y nant ei hunan y mae'r ansoddair **llafar** yn cyfeirio. Credai R.J. Thomas mai'r ail oedd yn gywir, ond hyd y gwelaf nid oes gofnod o enw'r nant, yn benodol felly, ar gael hyd yma beth bynnag. Y mae'n wir, er hynny, mai'r gwreiddyn Celtaidd **labaro-* yw sail enwau lliaws o afonydd a nentydd ym Mhrydain ac Ewrop fel ei gilydd, *Laver*, *Levern*, *Lowran* yn yr Alban, *Laver* yn sir Gaerefrog, *Laber* yn yr Almaen a Gâl, a **Llafar** yn rhedeg i Lyn Tegid ger Glan-llyn, ar y ffin rhwng plwyfi Llanuwchllyn a Llanycil, ac yn enw rhagnant i Ogwen ger y Gerlan, Bethesda, i enwi rhai yn unig.

Nant 'siaradus, barablus', felly, fyddai **Nant Lafar**, ond yn absenoldeb ffurfiau cynnar i ategu hynny'n gadarn yn yr achos hwn, nid afresymol fyddai credu y gall yr ansoddair gyfeirio'n uniongyrchol at ryd fas, gyda llif y dŵr drwyddi yn swnllyd neu'n 'barablus' – yn **llafar**. Yn sicr ddigon, fel **Nant Rhydlafar** yr adwaenid y nant yn y bedwaredd ganrif ar bymtheg, a hynny a geir ar fap chwe modfedd yr Ordnans yn 1884.

G.O.P.

Rhydybilwg

Ym mhlwyf Llanisien yng ngogledd Caerdydd y mae cronfa ddŵr sy'n derbyn cryn nifer o fân nentydd. Nid yw'r un ohonynt yn ddigon sylweddol i'w galw yn afon, hyd yn oed honno a elwir yn Nant Fawr a red i lawr i'r gronfa o Graig Llanisien ac yna ymlaen i lyn Parc y Rhath a thrwy faestref y Rhath (yno dan yr enw *Roath Brook*) i afon Rhymni.

Ardal amaethyddol oedd hon cyn i'r ddinas ehangu iddi, er bod rhai o'r ffermydd yn dal i sefyll a'u tir heb ei ddifwyno. Olion sicr o brysurdeb y drafnidiaeth ar hyd y llwybrau a'r heolydd gwledig gynt yw nifer yr enwau sydd ar gael sy'n cynnwys yr elfen **rhyd** i ddangos y mannau bas lle croesid y nentydd hyn.

Prin fod angen pontydd, ac eithrio rhai bychain pren, a'r rheiny'n ddigon amlwg i dynnu sylw atynt eu hunain â'u henwau, fel yn achos y fferm **Pontprennau** (**Pontprenny** 1735-85) lle ceir y datblygiadau maestrefol diweddaraf.

Fel rheol, y mae'r elfennau a ddefnyddir gyda **rhyd** mewn enwau yn dangos lliaws o wahanol nodweddion, eu natur a'u maint (**Rhydlydan**), lliw'r dŵr (**Rhydfelen**), sŵn y dŵr yn y rhyd (**Rhydlafar**), safle (**Rhydypennau**, os mai 'tarddle nant' yw **pen** yma, ond gweler t.87) ac yn y blaen, ond hyd y gwelaf, prin yw'r cyfeiriadau at ffurf neu siâp y rhyd.

Tybed ai un o'r rhain yw **Rhydybilwg**, a allai fod unwaith ar ragnant i'r Nant Fawr? Fe'i ceir fel enw fferm ger y gronfa ddŵr mewn arolygon tir, **Rhud-y-bilooke** 1650, **Rhyd y billwg** 1653, **Rhyd y Billwhe**, **Rhyd-y-Byllwch** 1702, **Rhyd-y-bilwg** 1833, lle ceir **bilwg**, benthyciad o'r ffurf Saesneg Canol ar *bill-hook*, yr erfyn hwnnw â thro yn ei lafn a ddefnyddir i dorri gwrychoedd a mân goedydd. Dichon mai'r gyffelybiaeth yw â'r tro yn rhediad y nant yn y fan honno.

Yr hyn sy'n ddiddorol hefyd yw mai ffurf Saesneg ar enw'r fferm a geir yn rhestrau etholwyr canol y bedwaredd ganrif ar bymtheg, *Hackerford Farm* yn 1846, sy'n gyfieithiad llythrennol o **Rhydybilwg**, gyda'r term Saesneg poblogaidd *hacker* am **bilwg**. Erys yr enw hwnnw yn *Hackerford Road*, rhan o stad o dai a godwyd ar dir yr *Hackerford Estate*, ys gelwid y tir yr adeiladwyd arno rai blynyddoedd yn ôl.

G.O.P.

Rhydygwreiddyn

Gyda pheth amheuaeth y derbyniodd cyfaill y farn mai'r ffurf unigol arbennig ar y gair cyffredin **gwraidd** yw ail elfen yr enw hwn. Efallai mai anhawster cysoni hynny â'r elfen gyntaf, **rhyd**, a barodd iddo betruso, ond dyna'r esboniad cywir er hynny.

Enw ydyw ar hen ffermdy ym mhlwyf Llanwynno, Morgannwg, y ceir sôn amdano'n fynych ar dudalennau ysgrifau Glanffrwd (1843-90) ar hynodion a chymeriadau'r plwyf hwnnw. Yn ei amser ef, tyddyn bychan oedd **Rhydygwreiddyn**, 'hen dŷ cefngrwm . . . dan lwyth mawr o do gwellt', ond un o nifer o hen gartrefi y byddai Howel Harris a David Jones, Llan-gan, y Tadau Methodistaidd, yn ymweld â hwy i bregethu a chynghori ganrif ynghynt.

Ceir ffurfiau ar yr enw ar glawr o 1570 ymlaen. Yn y flwyddyn honno, **Tir Ryde y gwrythen**, ac yna **Tire Reyde y gwrwythin** 1594, **tir Rhyd y gwreithyn** 17 ganr., **Ryd gwrythin** 1630, a **Rhyd y gwreiddyn** 1671 hyd heddiw, a'r nodwedd i sylwi arni yw mai ger tarddiad nant a elwir **Ffrwd**, yn syml, y safai'r hen dyddyn.

Ystyr arbennig sy'n cyfeirio at darddell nant neu afonig sydd i **gwreiddyn** yn y cyswllt hwn, neu yn ôl y diffiniad geiriadurol 'cychwyn, ffynhonnell, tarddiad', ac o gymryd hynny i ystyriaeth y mae arwyddocâd **rhyd** fel elfen gyntaf yn bur amlwg.

Ym mhlwyf Sain Nicolas ceir fferm o'r enw **Gwreiddyn** sy'n sefyll ger tarddell nant fechan a red i afon Elái, ac ym mhlwyf Merthyr Mawr ceir **Pwllygwreiddyn**, lle mae'r elfen gyntaf eto'n awgrymu lleoliad addas yng nghymdogaeth cymer afonydd Ogwr ac Ewenni.

Ond efallai mai'r enw hyfrytaf sy'n cynnwys yr elfen hon yw enw'r fferm y mae miloedd o deithwyr talog yn chwyrlïo heibio iddi yn eu ceir bob dydd ar yr M4 ger Pontlliw. **Bachygwreiddyn** yw ei henw, gyda'r **bach** hwnnw sydd yn **cilfach** 'congl, cornel, tro' fel elfen gyntaf i ddisgrifio'n gymwys y sefyllfa ar lan tro yn un o ragnentydd afon Lliw.

G.O.P.

Rhydypennau

Wrth drafod yr enw Rhydybilwg ym mhlwyf Llanisien, Caerdydd (t.85) mentrais gynnig y posibilrwydd mai **pennau**, lluosog **pen** yn yr ystyr 'tarddle nant' oedd ail elfen yr enw **Rhydypennau** yn yr un ardal.

Y rheswm am hynny oedd fod yr ardal, yn y cyfnod cyn twf maestrefi gogleddol Caerdydd, yn nodedig am y nifer o nentydd a godai yn bennaf ar gefnen hir a oedd am y ffin â hen gwmwd Cibwr, ac un ran ohoni yn dwyn yr enw Craig Llanisien.

Er hynny, dichon fod peth anghysondeb mewn credu y gellid cael rhyd ar fwy nag un nant, ac yn fwy annhebyg fyth ar fangre lle ceir mwy nag un tarddle. Yn wir, y mae'r hen fapiau stadau yn gosod hen fferm **Rhydypennau** ar y Nant Fawr, yn agos i'r fan lle y mae Heol Rhydypennau yn awr yn ei chroesi.

Wedi edrych unwaith eto ar nodyn a sgrifennodd Syr Ifor Williams ddeg a thrigain o flynyddoedd yn ôl sy'n trafod ystyr arbennig arall i **pen**, dichon mai dilyn awgrym y meistr fyddai orau inni.

Gan nad oes nemor ddim yn cael ei awgrymu gan ffurfiau cynharach yr enw, o **Reed a penne** 1773, **Rhydypenna** 1789 ymlaen, sy'n peri i ni amau mai **pennau** yw'r ail elfen, fe dalai i ni ystyried yr ystyr hwnnw i **pen** a welir yn y troad ymadrodd a elwir yn gydgymeriad *(synechdoche)*, hynny yw, cyfeirio at y rhan i awgrymu'r cyfan.

Yn y byd amaethyddol, fel y dywed Syr Ifor, 'hyn a hyn o **bennau** sydd gan ffarmwr, sef o wartheg a bustych yn ei stoc', ac fe ellir cymharu'r cyfeiriad at *'**head** of cattle'* yn Saesneg.

Wrth gwrs, y mae lle o'r enw **Rhydypennau** ar yr A487 sy'n croesi afon ger Bow Street yng Ngheredigion, a haws credu mai rhyw fath o **Rydychen** mewn gwisg wahanol yw hwnnw, fel ei gymar yng Nghaerdydd.

Man, efallai, a gafodd ei enw o fynych ddefnyddio'r rhyd gan y da byw.

G.O.P.

The Rhyddings

Dyma'r sillafiad cyffredin heddiw ar enw'r tŷ cyfrifol gynt yn Abertawe y mae rhyw gymaint ohono yn dal i sefyll ar y bryncyn uwchben maes chwarae Sant Helen ac y coffeir ei enw yn enwau *Rhyddings Park Road* a *Rhyddings Terrace*.

Dywedir ei fod yn dyddio o ganol y ddeunawfed ganrif er y dichon i gartrefle cynharach ei ragflaenu. Dyma hefyd gartref Thomas Bowdler, y gŵr enwog hwnnw a roddodd ei enw i'r broses o ddileu pethau a ystyrid yn anweddus mewn gweithiau llenyddol. Cyhoeddodd fersiwn 'anllygredig' o waith Shakespeare a thrwy hynny cyflwynodd y ferf *to bowdlerise* i'r iaith Saesneg.

Y mae'r ffurf yn amrywio cryn dipyn: **Rhyddings**, **Rydings**, **Riddings**, **Reedings**, a hyd yn oed **Reading**, ac fe'i ceir mewn nifer o leoedd. Ger Ystumllwynarth *(Oystermouth)* a Chilibion yng Ngŵyr, ger Llangatwg Nedd a ger fferm Abaty Tyndyrn yng Ngwent, *Reddings Farm*. Digwydd yn sir Ddinbych hefyd ac y mae Dr Hywel Owen yn nodi tua deg ar hugain o enghreifftiau yn nwyrain sir y Fflint.

Galwyd y tŷ ar ôl enw'r tir y safai arno, ac y mae hwnnw'n derm Saesneg ar fath arbennig o dir, sef tir wedi ei glirio o goed a pherthi, tir 'golau' ys dywedir, neu dir wedi ei ddiwyllio (hynny yw, ei ddi-wylltio). Ceir cyfeiriad ato mewn cofnod 1402 sy'n nodi trosglwyddo acer a hanner yn, neu ar **les Redyngez** i un o deulu'r Stradlingiaid. Dyma **the Reeding** erbyn 1617, **the Riddinges** 1650 a.y.b. Daw o'r Hen Saesneg *hryding, rydding*, 'lle agored (mewn coed), llannerch' sy'n seiliedig ar y ferf a roes *to rid* mewn Saesneg Diweddar. Bellach, mewn mân enwau ac enwau lleoedd y gwelir ef fynychaf.

Hawdd derbyn enwi'r **Rhydding** ger Llangatwg Nedd (**Rhyding** 1626-7, **Rheeding(s)** 1661, 1666, **Redding** 1676) o gofio am ymdrechion cynnar mynaich Mynachlog Nedd i ddofi gwylltineb coediog yr ardal. Nid anghysylltiol, ychwaith, yw enw un o ffermydd allanol y fynachlog a elwid yn **gwrt** yn ardal Castell-nedd (cymar i Gwrt Herbert, Cwrtyclafdy a Chwrtrhydhir) sef **Cwrt-sart** ger Ynysymaerdy. Yn yr enw hwnnw, talfyriad o'r hen derm cyfreithiol Saesneg *assart*, a ddaeth trwy'r Ffrangeg o'r Lladin *exartium*, yw'r ail elfen. Ystyr y term hwnnw hefyd yw 'tir a enillwyd trwy glirio coed'.

G.O.P.

Ruperra

Da oedd darllen yn ddiweddar bod ymddiriedolaeth leol yn pryderu ynghylch cyflwr y tŷ a adwaenir yn gyffredinol wrth yr enw hwn, ac yn gobeithio ennyn digon o gefnogaeth ariannol i'w ddiogelu.

Fe saif ym mhlwyf Llanfihangel-y-fedw i'r dwyrain o Gaerffili, ond er nad yw'n adeilad sydd wrth fodd pawb – rhyw dalp sgwâr a thŵr ym mhob congl – y mae iddo naws unigryw. Fe'i codwyd *c.*1622-6 i Syr Thomas Morgan a oedd yn stiward i Iarll Penfro yn ei ddydd, ac y mae ar batrwm nifer o 'gestyll' ffug a oedd yn boblogaidd yn oes Elisabeth y Gyntaf a Siarl y Cyntaf. Arhosodd yr olaf ddwy noson yno yn 1645.

Adeilad ydyw a godwyd ar hen safle a fu'n eiddo i Lewisiaid y Fan er canol y bymthegfed ganrif, ac fe aeth ar dân ddwywaith, yn 1785 ac 1941.

Ffurfiau cynharaf yr enw a gasglwyd yw **rriw r perre** 1550, **Rhiw r perrai** 1560-1. **Rywrpperrey** 1572, **Ruperrey** 1578, 1581, **Rewperrie** 1596, **Ruerperry** 1612 ac ymlaen at **Ruperra** 1644-8 a.y.b. a theg fyddai casglu eu bod oll yn amrywiadau ar y ffurf wreiddiol **Rhiw'rperrai**, gyda'r fannod rhwng dwy elfen yr enw yn colli ar lafar, a'r terfyniad **-ai** (fel y digwydd gyda'r terfyniad lluosog **-au**) yn symleiddio'n **-a** i roi **Rhiwperra**.

Yna cam syml, mewn ardal lle y mae dylanwad y Saesneg yn amlwg, yw cynrychioli, ac ynganu **rhiw** fel *ru-* (fel yn *Ruabon* am **Rhiwabon**, *Rubina* am **Rhiwbina** neu **Rhiwbeina**) gan roi'r ffurf **Ruperra**.

Parthed yr ail elfen, ceir **perai** yng *Ngeiriadur y Brifysgol* fel benthyciad o'r Saesneg Canol *pereye* (ffurf a ddaeth trwy'r Hen Ffrangeg), yn ddiweddarach *perry* 'diod a wneir o sudd gellyg', ond onid gwell mewn enw lle fyddai ystyried y *perry* arall a ddaeth yn syth o'r Hen Saesneg *pyrige, pirige* 'coeden gellyg' sydd yn gyffredin iawn ei defnydd mewn enwau lleoedd yn Lloegr, yn enwedig yn y de-orllewin, y tu draw i Fôr Hafren?

Os felly, y mae **Rhiw'rperrai** (gan ddyblu'r **-r** yn y goben acennog) yn gymar addas i enwau fel **Rhiwfallen** (afallen), **Rhiwonnen**, **Rhiwgriafol** a.y.b., a chyda **pen**, **Penrhiw'rceibr**, **Penrhiw'rgwiail** a'u tebyg.

G.O.P.

Senghennydd

Enw ar gantref gynt (efallai y Cantref Breiniol) ac arglwyddiaeth ym Morgannwg a rannwyd yn ddau gwmwd, Senghennydd uwch Caeach a Senghennydd is Caeach. Yn y bedwaredd ganrif ar bymtheg fe'i haddaswyd fel enw'r pentref glofaol sylweddol ger Caerffili a welodd y danchwa erchyll yng nglofa *Universal* yn 1913.

Asgwrn y gynnen ynglŷn ag esbonio'r enw, fel y sylwais yn y nodyn ar **Caerffili** (t.17), yw bod cryn gefnogaeth i *Saint Cenydd* (yn Saesneg) neu **Sain Cenydd**, efallai, yn y Gymraeg, fel sail ffurf yr enw. *'St Cennydd became corrupted to Senghennydd'* meddai un hanesydd lleol heb unrhyw reswm yn y byd, gellid meddwl, heblaw tebygrwydd ffurf arwynebol a'r ffaith y credir bod cysylltiad rhwng Cenydd a'r **Ffili** ansicr hwnnw y cysylltir ei enw â Chaerffili, canolfan cwmwd Senghennydd is Caeach.

Y mae amryw o wendidau yn yr haeriad hwn na ellir eu trafod yn llawn yma, ond gellir pwysleisio hyn.

Y mae **Senghennydd** yn enw Cymraeg hynafol ac yn enw tiriogaethol a luniwyd ar batrwm cryn nifer o enwau tebyg yng Nghymru. Fel y dangosodd yr Athro Melville Richards flynyddoedd yn ôl, un ffordd o nodi tiriogaeth rhywun amlwg oedd ychwanegu terfyniad arbennig at ei enw i arwyddo mai ei dir ef ydoedd. Y mae nifer go dda o'r terfyniadau hyn yn hysbys, fel **-wg** yn **Morgannwg** 'tir neu wlad Morgan', **-ing** gyda **Glywys** yn **Glywysing, -iog** gyda **Gwynllyw** yn **Gwynllywiog** a aeth yn **Gwynllŵg**, ac yn y blaen. Un arall yw **-ydd** yn **Eifionydd, Gwrinydd, Meirionnydd** a'u tebyg, ond sylwer yn arbennig ar **Mefenydd**, enw cwmwd yng Ngheredigion. Yr enw personol **Mafan** yw'r elfen gyntaf, ond o ychwanegu ato y terfyniad **-ydd**, a chan hynny newid safle'r acen, ceir gwyriad llafariaid dros ddwy sillaf **a-a** sy'n rhoi **e-e-, Mefenydd**.

Cyson â'r ffurf honno fyddai disgwyl i ffurf gysefin enw personol fel **Sangan**, gyda'r terfyniad **-ydd**, roi'r ffurf **Sengen-ydd**, gyda'r **-h-** yn tyfu dan yr acen gref ar y goben a'r **-n-** yn dyblu, **Senghennydd**.

Y mae'r dystiolaeth ategol i'r categori hwn o enwau yn dra sylweddol, a'r pwynt pwysig i'w ystyried hefyd yw bod yr enwau tiriogaethol Cymraeg hyn yn wirioneddol hen, mor hen yn wir nes bod y sawl a goffeir ynddynt, fel **Sangan** yn **Senghennydd** o bosibl, wedi mynd yn angof.

G.O.P.

Stormy Down

Fe gafodd mwy nag un modurwr anffodus achos i sylwi mor agored a gwyntog yw'r rhan honno o'r M4 rhwng Pen-y-bont ar Ogwr a phentref y Pîl *(Pyle)* ar ôl cael eu dal yno mewn lluwch ar adeg o eira mawr. Tybed faint ohonyn nhw a sylwodd mai enw'r tir sy'n codi'n raddol i'r de o ddyffryn llydan Nant Ffornwg yw **Stormy Down**?

Fodd bynnag, ar ochr ogleddol y ffordd fe safai gynt bentref bychan neu amlwd **Stormy**, sydd bellach wedi diflannu ac eithrio un adeilad a rhai olion prin. Yn y ddeuddegfed ganrif, yr oedd castell bychan gerllaw a hefyd eglwys sydd hwythau wedi mynd ar ddifancoll. Ond nid i arwyddo man lle ceir tywydd drycinog y cafodd y lle ei enw.

Y mae'r un peth yn wir am dir uchel ac anffrwythlon **Stormy Down** gan mai'r cysylltiad â'r lle, **Stormy**, a gyfleir yn ei enw, gyda'r Saesneg *down* yn ei ystyr gyffredin 'tir uchel agored'.

Yn hytrach, ffurf ar gyfenw teuluol Eingl-Normanaidd ac arlliw Sgandinafaidd arno – sy'n ymddangos fel *Esturmi, Sturmi* yn y dogfennau cynnar ac y ceir cynrychiolwyr ohono yn dal tiroedd yn sir Gaerloyw a rhannau eraill o ddeheudir Lloegr yn y ddeuddegfed ganrif – yw'r **Stormy** presennol, *terra Sturmi* yn 1138-70.

Tua 1175, rhoddwyd y tir y dywedwyd mewn un ddogfen ei fod 'mewn llecyn nad oedd neb wedi ei aredig cyn hynny', a'r hyn a safai arno, sef *villa Sturmi c.*1170, *Sturmiestun*(*e*) yn 1234, i Abaty Margam gan Sieffre Sturmi.

Erbyn 1261 cyfeirir at y sefydliad fel un o'r unedau amaethyddol allanol hynny (*grange* yn Saesneg) a berthynai i Abaty Margam. Ymddengys fel pe bai wedi ei rannu'n ddwy garfan erbyn 1347, ac yn 1543 pan drosglwyddwyd y cwbl i Syr Rhys Mawnsel ar ddiddymiad y mynachlogydd, fel *Courtbaghan alias Parva Stormy* (Stormy Fechan) a *grangia de Stormy alias Magna Stormy* (Stormy Fawr) y cyfeirir atynt.

G.O.P.

Taliaris

Enw ar blasty ger Llandeilo Fawr yn sir Gaerfyrddin yw **Taliaris** – plasty a fu'n gartref i deulu Gwynne ac yna i deuluoedd Seymour a Peel. Codwyd y plasty gyntaf ym mlynyddoedd cynnar yr unfed ganrif ar bymtheg. Mae'r cofnod cyntaf o'r enw yn digwydd yn 1324 yn y ffurf **Taleyares**. Dyma'r ffurf sy'n digwydd wedyn hyd at tua 1629. Ar ôl y flwyddyn hon y mae **Taliares** yn araf yn troi'n **Taliaris** ar glawr. Fodd bynnag, diddorol yw sylwi fod D.J. Williams yn nodi yn ei gyfrol *Hen Dŷ Ffarm* mai **Talihares** oedd ffurf lafar yr enw yn ei ddyddiau ef.

Y mae'n sicr bron mai **iares** 'haid o ieir' yw elfen olaf yr enw. Un enghraifft brin arall o'r enw hwn a geir. Fe ddigwydd yn yr hen ddihareb *Ny lluyt yares mennylluyt buches* – 'Ni lwydda haid o ieir mewn man lle na lwydda gyr o wartheg'. Terfyniad torfol yw **-es** yma ac fe'i ceir hefyd mewn enwau megis **llynges** 'llawer o longau' a **buches** 'gyr o wartheg'. Ystyr cyflawn yr enw **Taliares** felly fyddai 'pen y fan lle ceir haid neu heidiau o ieir'. Ymddengys y defnyddid y terfyniad torfol **-es** ynghyd ag enwau adar i nodi mannau lle ceid llawer o'r adar hynny, yn union fel y defnyddir **-or** yn yr enw **Grugor** i nodi man lle tyf llawer o rug ac **-os** yn **Gwernos** i nodi man lle tyf coed gwern bychain.

Y mae enwau lleoedd eraill sy'n cadarnhau hyn. Yn Llandrillo, Meirionnydd safai trefgordd **Branas**. **Branes** oedd ffurf arferol yr enw hwn o 1292 hyd tua 1512 a rhaid mai 'man lle ceir heidiau o frain' yw'r ystyr. Ym mhlwyf Llandrillo-yn-Iâl, Dinbych safai trefgordd **Eryrys** a ddaeth yn ddiweddarach yn blwyf ei hun. **Eryres** oedd ffurf gyffredin yr enw hwn rhwng 1391 a 1565 a rhaid ei fod yn golygu 'man lle ceir llawer o eryrod'.

Tybed a ŵyr unrhyw un am enw lle arall yng Nghymru sy'n cynnwys enw aderyn ac a allai berthyn i'r dosbarth anghyffredin hwn?

T.R.

Talycynllwyn

Dyma enw ffermdy ar lan y Gamffrwd sy'n rhedeg i Lwchwr i'r gogledd o'r Hendy a Phontarddulais. Ni wn pa sawl esboniad ar yr enw a wnaed ar sail y gred mai **cynllwyn** 'brad, dichell, ystryw' neu'r hyn a gyfleir gan y Saesneg *'ambush'* yw'r ail elfen, ond dichon fod y demtasiwn yn un bur gref. Os mai'r elfen gyffredin **tal** 'pen, pen blaen' (fel yn **talcen** ac enwau fel **Tal-y-bont, Tal-y-cafn** a.y.b.) yw'r elfen gyntaf, ac y mae hynny'n dra thebyg, tybed a fyddai lle yn cael ei enwi â chyfuniad o'r elfen honno ac ail elfen haniaethol fel **cynllwyn**?

Prin yw'r hen ffurfiau o'r enw sydd ar gael ond y mae'r hynaf ohonynt a welais i yn awgrymu esboniad gwahanol. Ceir **Taly kelyn llwyn** 1584-5 gan yr hen hanesydd Rhys Amheurug o'r Cotrel a **Talyklynllwyn** 1613-14 mewn dogfen arall. Os dilys y rhain, y mae'r ystyr yn glir, sef 'pen y llwyn celyn' gyda llafariad y sillaf gyntaf yn cael ei cholli fel yn **Clynnog** (y **Fechan** a'r **Fawr** ym Môn ac Arfon) o **celynnog** 'lle a llawer o gelyn ynddo', felly'r **Glynnog** ym mhlwyfi Llantrisant a Llanwynno, a'r enw **Clenennau** (**Clenna** ar lafar) sef ffurf luosog **celynen, celynennau** sy'n golygu 'nifer o goed celyn unigol' yn ôl Syr Ifor Williams.

Ar yr un pryd, nid yn aml, os o gwbl, y ceir **celyn** + **llwyn** yn y drefn yna mewn enwau yng Nghymru yn hytrach na'r **Llwyncelyn** pur gyffredin. Hefyd, mwy anodd fyth yw cyfrif am golli'r **-l-** yn **c(e)lynllwyn** i roi **cynllwyn** yn y ffurf ddiweddar.

Ger hen lofa Penallta ym mhlwyf y Gelli-gaer y mae **Cynllwynau**, sef **Cefn-llwynau** ar y map heddiw, ac fe ategir hynny gan **Kevenlloyne** 1566, 1576 a **Keven y lloyne** 1584, ac o dderbyn fod yr ail elfen wedi cymryd arni wedd luosog bellach, amlwg ydyw mai **cefn** 'trum, esgair' yw'r elfen gyntaf yma a aeth yn **cen-** ac yn **cyn-** fel yr aeth **Cefncoed** yn **Cencoed** a **Cyncoed**. Dyna bosibilrwydd arall, felly, er nad oes arlliw o **cefn** i'w weld hyd yma ymhlith ffurfiau **Talycynllwyn**.

Ymhellach, y mae enwau eraill fel **Llwyncynllwyn** a **Cynllwyn-du** yn y Rhondda sydd mewn dygn angen goleuni arnynt, ond y tebyg yw y gellir hepgor **Coed Cynllan** ym mhlwyfi Llanharan a Llanhari y credwyd ei fod yn gysylltiedig o ran ei ffurf, hyd nes profir yn wahanol.

Nid oes sail 'chwaith i'r enw **Coed y Cynllwyn** a roddodd Iolo Morganwg i *Wrinston* ym mhlwyf Gwenfô yn un o'i lawysgrifau, ond beth am y **Cynllwyn** (**Cinluin** yn yr hen orgraff) sy'n digwydd yn *Llyfr Llandaf* fel enw man ar ffiniau Llanwytherin (*Llavertherine* ar y map) yng Ngwent?

Erys nifer o broblemau i'w datrys yn y cyswllt hwn.

G.O.P.

Tirergyd

Ar lethrau Mynydd Aberdâr, yn yr ardal a gynhwysid gynt o fewn Fforest Llwydcoed, a heb fod ymhell o safle hen waith haearn Aberdâr, safai ffermdy **Tirergyd**. Yn wir, ar gefn y ddogfen a drosglwyddodd les Fforest Llwydcoed i ddau ddiwydiannwr o Loegr yn 1787 ceir y nodyn hwn, *'There was a farm called Tir Ergid immediately above a portion of the Llwydcoed estate of which it was essential to lease the minerals if the iron-works were placed on the spot . . . '*. Awgryma hyn hefyd safle'r fferm ar dir uchel.

Ei henw yn gynharach oedd **Tyr yr Ergyd** 1632, **Tyir yr Rergyd** 1633, **Tire yr Ergid** 1657, 1688, 1715, **Tir r ergid** 1791 a.y.b. Ceir **Tirerged** ar fap modfedd cyntaf yr Ordnans yn 1833 cyn mynd yn **Tir-yr-argae** ar fap chwe modfedd 1864.

Bu tuedd i weld yma y gair **ergyd** 'trawiad, cnoc, pellter tafliad (Saesneg *range*)' fel ail elfen yr enw, ac fe gynigiwyd y posibilrwydd fod yma atgof chwedlonol am ryw arwr a hyrddiodd saeth neu garreg gryn bellter. Y mae hynny'n bosibl, wrth gwrs, ond purion peth fyddai ystyried y defnydd a wneir o'r elfen hon mewn enwau eraill, yn arbennig **Ergyd Uchaf** ac **Ergyd Isaf** sy'n enwau ar esgeiriau o Fynydd Margam, hynny yw, cefnau o dir sydd fel pe baent yn 'taflu allan' o'r mynydd ei hunan.

Y mae'r syniad cynhaliol o 'bellter tafliad' yn cael ei gadw yn yr ystyr hon o'i gymhwyso at nodwedd ddaearyddol.

Er bod *Geiriadur y Brifysgol* yn tarddu'r gair **ergyd** o **er-**, **ar-** (rhagddodiad sy'n cryfhau'r ystyr) a'r **-cyd** a welir mewn geiriau fel **cyngyd** 'amcan, bwriad' ac **encyd** 'ennyd, ysbaid', fe gredid gynt y gallai fod yn amrywiad ar y gair **ergyr** 'trawiad, tafliad' trwy ddadfathiad cytseiniaid.

Bid a fo am hynny, y mae enghreifftiau eraill o **ergyd** i'w cael mewn enwau sy'n edrych fel pe baent yn cydymffurfio o ran lleoliad i'r ystyr a gynigir uchod. Dangoswyd **Pen-yr-ergid** ar fap yr Ordnans yn 1834 am fan ar y tir sy'n disgyn tua'r tywod wrth geg afon Teifi, heb fod ymhell o Gwbert, ac yn Llanrhaeadr-ym-Mochnant ceir **Ergyd-y-gwynt**. Hefyd fe'i ceir gydag enwau personol, fel yn **Ergyd Non** yn Llansanffraid, Ceredigion, ac **Ergyd Ronw**, sef **Ergid Gronow** 1585, **Tyddyn ergid Gronowe** 1592-3, 1623, **Dol y ronw** *alias* **Ergid Ronw** 1691 yng nghyffiniau Dolgellau.

G.O.P.

Tir-shet

Dyma ffurf y map ar enw fferm ger Rhyd-y-fro, ym mhlwyf sifil Rhyndwyglydach ac ar gyrion gogleddol Mynydd Gellionnen, sydd wedi ennyn diddordeb nifer o ddarllenwyr a ofynnodd am esboniad arno.

Hyd y gwn, nid oes i'r fferm hynodrwydd y gellir ei gysylltu ag unrhyw ddigwyddiad arbennig ond fe ddichon fod ei henw yn arwydd o newid yn amgylchiadau dal y tir y galwyd hi wrth ei enw ar un adeg.

Ni wyddom yn union pa bryd y bu hynny ond, yn sicr, fe ddigwyddodd cyn 1613 gan mai **Tyr Cheate** yw'r ffurf a geir mewn ewyllys yn y flwyddyn honno, ac yna **Tir Ziet** 1664, **Tiryet** 1722 (gwall am **Tirsyet**, mae'n debyg), **Tur Shet** 1783, **Tir y sliet** 1807 (dylid hepgor yr **l**), **Ty'r shet** 1846.

Y mae'r ffurf gynharaf yn hyrwyddo'r ffordd tuag at dderbyn yn ffyddiog mai ffurf dalfyredig ar y term Saesneg technegol *escheat* yw'r ail elfen, benthyciad o'r Saesneg Canol (*es*)*chete* a ddaeth trwy'r Hen Ffrangeg o'r Lladin. Collwyd y sillaf gyntaf ddiacen yn gynnar (fel y cafwyd **stent** o'r Saesneg *extent* 'prisiad stad'), ac er bod y llafariad yn hir yn y benthyciad i'r Gymraeg, **siêt** (ceir **siêd** hefyd), y tebyg yw ei bod wedi ei byrhau ar lafar yn yr achos hwn fel bod ffurf wreiddiol fel **Tir-siêt** wedi rhoi **Tir-shet**.

Ystyr gyntaf *escheat* fel enw oedd y broses o ddychwelyd tir i frenin neu arglwydd ar farwolaeth perchennog dietifedd, ond y mae tystiolaeth fod tir felly yn dod yn dir cyffredin i'r gymuned leol mewn rhai mannau yng Nghymru yn yr Oesau Canol. Pa un bynnag am hynny, mae'n amlwg fod **Tir-siêd** yng ngolwg y werin yn dir heb berchennog, ac o gymryd hynny yn drosiadol, yn wag a diymadferth. Dyma'r ystyr a rydd un hen fardd i'r gair ar farwolaeth meibion Tudur ap Gronwy ym Môn:

Môn aeth, ysywaeth, yn siêd.

Fe'i defnyddir hefyd yn yr ystyr 'fforffed', ac y mae'r enw yn enghraifft arall o ddefnyddio term technegol sy'n ymwneud ag amodau dal tir mewn enwau lleoedd. Nodwyd eisoes (t.88) y defnydd o'r term *assart* 'tir a enillwyd trwy glirio coed' yn enw **Cwrt-sart** ger Castell-nedd.

G.O.P.

Tontrycwal

O amgylch bryn y Caerau ger Llantrisant y mae clwstwr o ffermydd sy'n dal i wrthsefyll lledaeniad yr ardal drefol. Un ohonynt yw **Tontrycwal** a saif ger y ffordd o'r Cross Inn i Riwsaeson, ac ar lan nant fechan sy'n rhedeg i afon Clun.

Am ryw reswm, ni cheir yr enw ar y mapiau cyffredin heddiw ond ar fap modfedd i'r filltir cyntaf yr Ordnans (1833) ymddengys fel **Ton-drygwal**, a ffurf yr enw ar glwyd y tŷ presennol yw **Tondrugwaer**. Ffurf lafar yr enw ar enau'r trigolion hynaf yw honno a welir yn y pennawd uchod.

Er nad oes i'r lle nemor ddim hynodrwydd, y mae ei enw yn drawiadol ac y mae iddo le yn hanes diwydiant gwlân yr ardal gan fod melin fâl yn gysylltiedig â'r fferm a addaswyd yn ddiweddarach fel rhan o ffatri wlân fechan.

Yn ffodus, y mae mwy nag y gellir eu rhestru yma o ffurfiau'r enw ar gael. Rhaid bodloni ar ddweud mai tua dechrau'r ddeunawfed ganrif y gwelir **-l** yn ymddangos ar y diwedd: **Tondrigwel** 1728, **Ton Drwgwall** 1771-81 a.y.b. Cyn hynny, gan gynnwys y ffurf gynharaf sydd ar glawr, does dim llawer o amheuaeth mai **-r** yw'r llythyren olaf wreiddiol.

Dyma beth o'r dystiolaeth: **tonne y drewge gwayr** 1570, **Ton y d(r)wg Gwaer** 1588, **Tyr tonn y drwg wayr** 1630, ac mewn rhôl renti a sgrifennwyd yn Gymraeg *c.*1625 sydd ymhlith papurau stad Bute, ceir **syddyn y elwyd tonn y drwgwayr**.

Gallwn dderbyn yn ffyddiog mai **Ton(y)drygwair** oedd y ffurf wreiddiol. Enw ar dir pur anfoddhaol ei gynnyrch o wair (**drwg** yn wir) fel y gallech dybio o gofio mai 'croen tenau o dir heb ei drin' oedd ystyr **ton**.

Dengys y ffurf lafar **Tontrycwal** nifer o gyfnewidiadau nodweddiadol o'r dafodiaith. Y ddau galediad, **d** yn mynd yn **t**, a'r **-gw-** ganolog yn troi'n **-cw-** gyda'r ddeusain **-ai-** yn symleiddio'n **a-**. Hefyd, sylwer ar gyfnewid **-r** am **-l** ar y diwedd, y math o ddadfathiad cytseiniol a welir mewn benthyciadau fel **cornel** am *corner*, a **dresel**, **dresal** am *dresser*.

G.O.P.

Tref-y-rhyg

Enw yw hwn ar anheddau pur adnabyddus ger Tonyrefail ym Morgannwg. Ymddengys fel **Treferig House** a **Treferig-isha** ar y map heddiw, **Trefereeg** ar fap modfedd cyntaf yr Ordnans yn 1833, ond yn y ffurfiau hynaf sydd gennym hyd yma **Tre y ryg ycha** a **Tre y ryg Issa** mewn arolwg o feddiannau Iarll Penfro ym Morgannwg yn 1570.

Yma, yn **Nhref-y-rhyg Isaf** yn ôl pob tebyg, yr oedd cartref John Bevan yn ail hanner yr ail ganrif ar bymtheg a dechrau'r ddeunawfed ganrif, gŵr a fabwysiadodd egwyddorion y Crynwyr yn 1688 ac a roddodd dir i godi tŷ-cwrdd yn y gymdogaeth yn 1692. Ef oedd prif gynheiliad yr achos yno ac yn Llantrisant ar ôl treulio peth amser yn Pennsylvania rhwng 1682 a 1704.

Y mae cryn nifer o ffurfiau'r enw hwn ar gael ar glawr ac y mae'r mwyafrif o'r rheiny sydd mewn ffynonellau y gellir dibynnu arnynt yn ategu'r ffaith mai'r prif elfennau yw **tref** 'fferm, ffermdy, cartrefle' + **rhyg** *'rye'*: **Trefyrhug, Trefyrhyg** 1738-46, **Treverhig** 1746, **Trevoryg** 1756-7, **Tref-y-Rhyg** 1768, **Trefyrhyg** 1799. Ac o ganfod fod enwau ffermydd fel **Crofft-yr-haidd** a **Gelli'rhaidd** i'w cael yn y cyffiniau, gellir derbyn y cyfuniad hwn yn ffyddiog.

Nid oes cysondeb, fodd bynnag, yn y modd y triniwyd yr enw yn y gorffennol. Rhyfedd ac ofnadwy yw rhai o'r ffurfiau a gasglwyd, ond y dyb fwyaf gyffredin o ddigon y ceir tystiolaeth iddi yw mai **tref** + yr enw personol Cymraeg **Meurig** yw'r elfennau a geir ynddo.

Y rheswm pennaf dros wrthod hynny yw mai ar y sillaf olaf, yn bendant, yr acennir **Tref-y-rhyg** ar lafar.

Er hynny, dichon y bu tuedd i'r fannod **y** ddatblygu'n sain aneglur ar lafar ac ymdebygu i sain llafariad y sillaf gyntaf **-e-** gan gynhyrchu **Treverhyg** yn 1791, **Treverig(g)** 1771, 1785, 1827 ac a welir yn glir mewn ffurf Seisnigaidd cyn hynny, sef **Trevericke** 1671.

Cam cymharol fychan wedyn oedd llithro i'r ffurf **Treveurig** 1844, a **Trefeirig** gan Lemuel 'Hopcyn' James, awdur *Hopkiniaid Morgannwg*.

G.O.P.

Tregawntlo

Dyma ffurf Gymraeg enw'r lle ger y twyni ym mhlwyf Merthyr Mawr a adwaenir hefyd fel *Candleston* – digon, efallai, i osgoi'r duedd i gysylltu'r lle â chanhwyllau!

Mae'n un o'r lliaws enwau hynny ym Mro Morgannwg sy'n dechrau â **tre(f)** yn ei ddiwyg Cymraeg, neu ddiweddu â *-ton*, Hen Saesneg *tūn*, yn ei ffurf Saesneg, y naill elfen a'r llall yn golygu 'cartrefle, fferm' yn ôl fel y byddai'r sefydliad cynnar yn datblygu.

Y mae hefyd yn cynnwys cyfenw un o'r teuluoedd Eingl-Normanaidd hynny y mae eu bodolaeth yn y Fro er y ddeuddegfed ganrif yn hysbys, sef teulu *de Cantelupo*. Y mae eu henwau'n britho'r dogfennau sydd ar gael o'r ddeuddegfed ganrif hyd y bedwaredd ganrif ar ddeg mewn amryfal ffurfiau fel *Cantilo*, *Cantelo(w)*, *Cantolo* ac yn y blaen.

Ceir *Cantlowstoune* 1545, *Cantleston(e)* 1578, 1695, *Cantlostown* 1596, *Cauntelton* 1598, *Candleston* 1716-17 a.y.b. a hefyd **Tre gawntylio** *c.*1550, **Tregantelow** 1559, **Tre gawntlo** 1573, **Tregantelo** 1578, **Tregantlow** 1630 a.y.b. ond sylwer pa mor gymharol ddiweddar yw dyddiad y gynharaf o'r ffurfiau hyn o'i chymharu â chyfeiriad mewn dogfen a ddyddir 1126 sy'n nodi rhodd o ddeuddeg acer o dir i esgobaeth Llandaf gan William de Cantelo.

Yn wir, ni ellir cadarnhau yn uniongyrchol, trwy gyfrwng unrhyw ddogfen sydd wedi goroesi, fod a wnelo teulu *de Cantelupo* â **Thregawntlo**.

Enghraifft dda, felly, o dystiolaeth enw lle yn cyflawni yr hyn na ellir ei brofi trwy dystiolaeth gonfensiynol yr hanesydd.

Nid hon yw'r unig enghraifft o'i bath, wrth gwrs. Diwydd un arall yn y Fro sy'n ymwneud â theulu *Norreis*, *Norreys*, (*Norris* heddiw), ffurf Eingl-Ffrengig *noreis* 'gogleddwr', y mae tystiolaeth i'w bodolaeth yn y Fro o 1165 ymlaen. Hwy oedd arglwyddi Pen-llin *(Penlline)* yn 1262, ond er na thystir yn y dogfennau sydd ar gael i'w cysylltiad penodol hwythau â *Nurston* (**Nyrstwn**) ym mhlwyf Pen-marc, gellir ymresymu ar dir ieithyddol cadarn mai ffurf ar *Norreis* yw elfen gyntaf enw'r lle hwnnw.

G.O.P.

Tumbledown

Dyma enw'r llethr y mae'r A48 yn ei ddringo tua'r gorllewin o gyffordd brysur Croes Cwrlwys ar gyrion Caerdydd. Fe'i hadwaenir yn lleol fel y *Tumble Hill,* ac ar y brig yr oedd tir agored yn ffinio â phlwyf Llwyneliddon, sef *St Lythan's Down* (lle saif gorsaf deledu y B.B.C.) gyda phentref bychan *(the) Downs* yn agos.

Bu cryn dipyn o 'esbonio' ar yr enw yn y gorffennol gan sylwi'n arbennig ar y gair *tumble* a llunio sawl stori ddychmygol ddifyr ar sail hwnnw, ond y mae un posibilrwydd y dylid ei ystyried.

Y mae'n wybyddus fod rhai tafarnau yn Lloegr yn dwyn yr enw *Tumble-down Dick* a'r arwydd o'u blaenau yn dangos hen ffarmwr bochgoch boliog gyda photel neu wydr yn ei law yn syrthio allan o'i gadair mewn cyflwr go simsan. Sefyll y mae *Dick* yn y cyswllt hwn am unrhyw berson, fel yn yr ymadrodd 'Tom, Dic a Harri', ond ar ôl 1659 ceir enghreifftiau o dafarnau yn cael yr enw hwn, yn enwedig yn y parthau hynny a ffafriai'r frenhiniaeth, fel cyfeiriad dilornus at Richard Cromwell, olynydd a mab yr enwog Oliver, na fu'n Amddiffynnydd ond am wyth mis cyn ei ddymchweliad ar esgyniad Siarl yr Ail i'r orsedd.

Ger yr A48 presennol, rhyw hanner y ffordd i fyny'r rhiw, saif tafarn y *Traherne Arms* a enwyd ar ôl teulu Coedriglan gerllaw. Cyn agor y ffordd hon, rhedai hen heol fain y tu cefn i'r dafarn. A oedd i'r dafarn hon enw cynharach? Ni wyddom ar hyn o bryd, ond fe fyddai *Tumble-down Dick* yn ateb y diben i'r dim.

Gellir cymharu'r enw ag enw pentref **Y Tymbl** ym mhlwyf Llan-non ar frig y llethr uwchben Dre-fach yng Nghwm Gwendraeth. Mae cofnod am fodolaeth tafarn o'r enw y *Tumble Inn* yn y cyffiniau. Tybed a oedd iddi hithau enw llawnach?

Fodd bynnag, lle mae *Tumbledown,* Caerdydd yn y cwestiwn, y ffaith ddiddorol yw mai *Turbernesdune* oedd enw'r tir mor gynnar â 1186-91, sef yr enw personol *Thorbjorn,* sy'n debyg o fod yn Sgandinafaidd ei dras + yr elfen Hen Saesneg *dūn* (heddiw *down*), ond nid oes tystiolaeth bellach ar gael i'n helpu i ddilyn datblygiad y ffurf honno. Ai gormod rhyfyg fyddai ystyried y posibilrwydd mai rhyw fath o eirdarddiad poblogaidd ar sail sain yr enw cynnar hwn dros y canrifoedd, yn ogystal â dylanwad y ffasiwn Gromwellaidd o enwi tafarnau a nodwyd uchod, a esgorodd ar y ffurf ddiweddar *Turbernesdune/Tumbledown*?

G.O.P.

Twyn Bwmbegan

Ar ochr chwith y ffordd o Groes Cwrlwys i bentref Gwenfô, yn ymyl storfa newydd Cyngor Bro Morgannwg, cyfyd y tir yn fryncyn sylweddol. Dan un ochr iddo rhedai hen reilffordd David Davies, Llandinam, trwy dwnnel i'r Barri. Hwn yw **Twyn Bwmbegan**, enw pur anarferol ei ail elfen a dweud y lleiaf, er bod y bryncyn fel y cyfryw yn cyfiawnhau bodolaeth **twyn** fel elfen gyntaf.

Er mai cymharol ychydig o ffurfiau cynharach yr enw sydd ar gael, prin fod lle i amau cywirdeb y rhai hynny sy'n dyddio o'r ddeunawfed ganrif: **Broombeacon** 1784-5, **Broombegan** 1787, ac yna **Bwnbegan** 1798. Enw Saesneg yn ei hanfod, felly, sy'n gyfansawdd o ddwy elfen. Y gyntaf yw *broom*, 'banadl' yn awr (ac felly yma, yn ôl pob tebyg) er bod enghreifftiau cynnar ohono yn cael eu defnyddio am 'brysglwyn, mieri'. Yr ail yw *beacon* a olygai 'arwydd, *signal*' yn wreiddiol ac a oedd yn amlach na pheidio yn goelcerth ar fan uchel, gweladwy i rybuddio rhag perygl neu i ddathlu digwyddiad arbennig. Daeth i gael ei arfer yn gyffredinol fel enw ar fryn amlwg lle byddai coelcerth o'r fath yn cael ei thanio, neu unrhyw fryn y gellid ei ystyried yn addas i'r pwrpas hwnnw. Hyn a roes i Fannau Brycheiniog yr enw Saesneg *Brecon Beacons*. Felly *Dunkery Beacon* ar Exmoor yng Ngwlad yr Haf, a'i debyg.

O ben **Twyn Bwmbegan** y mae cylch eang o Fro Morgannwg i'w weld yn glir, o Fôr Hafren i Graig Llanisien, ac y mae'n cyfarfod â gofynion ei alw'n *beacon* neu **begwn**, gyda'r elfen gyntaf *broom* yn cyfeirio at y tyfiant a nodweddai ei lethrau ar un adeg.

Efallai mai eithriadol yw colli *-r-* yn *broom* i roi *boom*, a sgrifennwyd fel **bwm** (gyda'r amrywiad **bwn**), ond y mae'n wybyddus mai fel **begwn**, **bigwn** y benthyciwyd y Saesneg *beacon* i'r Gymraeg. Dywedwyd wrth Edward Lhuyd ar ddechrau'r ddeunawfed ganrif fod **Bigwn** ym mhlwyf Bugeildy yn yr hen sir Faesyfed, sef y *Beacon Hill* presennol, a chofnodir mai fel **y Begwns** y cyfeiria rhai at Fannau Brycheiniog. Efallai fod cydweddiad ag enw ffermdy **Began** ym mhlwyf bychan cyffiniol Caerau wedi cael peth dylanwad ar ffurf ail elfen **Bwmbegan**.

Nid hyd 1833 y gwelir **Twyn Bwmbegan** yn ymddangos lle mae **twyn** yn amlwg wedi ei ychwanegu at yr enw gwreiddiol wedi iddo fynd yn ddiystyr. Yn y Fro, pa un bynnag, nid cwbl absennol yw ffurfiau ar enwau sy'n gyfansawdd o elfennau cyfystyr Cymraeg a Saesneg fel **Brynhill**, **Garnhill** a.y.b. ac fe geir mwy nag un enghraifft o *Beacon Hill* yn Lloegr hefyd.

G.O.P.

Tŷ-clap

Yn ddiweddar bu llawer o ddyfalu ynglŷn ag ystyr hen enw cartref newydd Bryn Terfel y canwr opera, sef **Tŷ-clap**. **Brondinas** yw enw'r tŷ bellach a saif rhwng y Bontnewydd a Dinas yn Llanwnda, Arfon. Ceisiodd nifer o bobl ddehongli'r hen enw a chafwyd camddehongli dybryd ar ddalennau papur newydd sy'n cylchredeg yng ngogledd Cymru.

Syrthiodd y dehonglwyr i gyd i'r un fagl. Ceisiasant esbonio'r enw heb graffu ar yr hen ffurfiau. O edrych ar hen ffurfiau'r enw hwn daw'r ystyr yn berffaith amlwg ac y mae'n hawdd i'w esbonio. Cofnodir y ffurf **Tŷ-clap** gyntaf ar y map Ordnans yn 1838. Fodd bynnag, ffurf wreiddiol yr enw yw **Tŷ-cnap**. Cofnodir y ffurf hon gyntaf yn 1716 mewn dogfen yng nghasgliad Henblas, yna yn 1760 yn yr un casgliad ac yna yn 1817 yng nghasgliad Porth yr Aur. Cedwir yr holl ddogfennau yn Llyfrgell y Brifysgol, Bangor. Erbyn 1838 aeth **Tŷ-cnap** yn **Tŷ-clap**.

Y mae'n amlwg fod y geiriau **clap** a **cnap** yn amrywio ac mae'r ddau yn gyfystyr bron yn aml. Gallant olygu 'darn, lwmp' ac mewn enwau lleoedd 'bryn, bryncyn'. Y mae O.H. Fynes-Clinton yn cofnodi'r ymadroddion 'cnap o lo' a 'clap o lo' yn ei gyfrol *The Welsh Vocabulary of the Bangor District*. Clywais a defnyddiais innau'r ddau air am dalp o lo droeon.

Felly **cnap** 'talp, bryncyn' yw elfen olaf wreiddiol yr enw a'i ystyr yn ôl pob tebyg yw 'tŷ ar fryncyn' neu 'tŷ a saif gerllaw bryn'. Benthycair yw'r gair Cymraeg **cnap** o'r Saesneg **knap** a gall y gair Saesneg hefyd olygu 'bryn'. Digwydd yr enw **Tŷ-clap** hefyd yng Nghricieth ac yn Abergele.

Ceir enghreifftiau hefyd o'r elfen **cnap** yn digwydd fel elfen gyntaf mewn enwau lleoedd – enwau megis **Cnap-coch**, Llansamlet; **Cnap-llwyd**, Abertawe a **Cnap-twt**, Sain Ffrêd. Yn amlach na pheidio enwau ar greigiau yw'r rhain.

'Tŷ ar fryn' neu 'tŷ gerllaw bryncyn' oedd ystyr gwreiddiol **Tŷ-clap** felly, ond bellach tŷ Bryn ydyw!

T.R.

Tyddynclidro

Bellach nid oes arlliw o'r tyddyn pum erw ar hugain ar gyrion canol tref Llangefni, Môn a gafodd yr enw **Tyddynclidro**. Yr oedd wedi hen ddiflannu erbyn canol y bedwaredd ganrif ar bymtheg. Codwyd rhestai ar ran o'r tir a chafodd yr enw **LônClidro**. Erbyn heddiw saif pencadlys Llyfrgell Môn ar ran o'r safle a saif maes rygbi Llangefni, swyddfeydd y Cyngor Sir ac ystad ddiwydiannol ar rannau eraill.

Cofnodwyd yr enw gyntaf yn 1733. Yr oedd i'r tyddyn enwau eraill hefyd megis **Maesyfelin**, **Cae-gwyn** a **Maes-gwyn**. Elfen olaf yr enw **Tyddynclidro** yw'r cyfenw **Clidro**, ffurf Gymraeg ar y cyfenw Saesneg **Clitheroe**. Y mae'n debyg mai'r gŵr enwocaf i ddwyn y cyfenw oedd Robin Clidro, bardd salw iawn a pharodïwr o ail hanner yr unfed ganrif ar bymtheg a drigai yng nghyffiniau Rhuthun. Yr oedd Robin yn enwog am ei anfedrusrwydd barddonol ac yn gyff gwawd i feirdd eraill. Yn y ddeunawfed ganrif lluniodd Lewis Morris y *Dafol Brydyddol* – math ar dabl cynghrair ar gyfer beirdd Cymru – a gosododd Robin yn dwt ac yn daclus ar waelod y cynghrair gyda dim am awen, pedwar am wybodaeth, dim am ddysg a dim am gynghanedd.

Ond yr oedd unigolion a theuluoedd eraill gyda'r cyfenw **Clidro** i'w cael yng ngogledd Cymru hefyd. Y mae'n amlwg fod teulu amlwg o'r enw **Clidro** yn byw yn Harlech ym Meirion yn y bymthegfed ganrif a'r unfed ganrif ar bymtheg. Yr oedd teulu arall o'r un enw ym Môn tua'r un cyfnod. Ymddengys i **Tyddynclidro**, Llangefni gael ei enwi ar ôl Dafydd ap Dafydd Clidro, gŵr a oedd yn fyw yn 1658. Enwyd tŷ ym mhentref Bodffordd yn **Tyglidro** ar ôl ei dad.

Deillia'r cyfenw Saesneg *Clitheroe* a roes i ni **Clidro** yn y Gymraeg o'r enw lle Saesneg *Clitheroe* – enw ar dref yn sir Gaerhirfryn. Cofnodwyd yr enw gyntaf yn 1102 a'r ffurf a geir yw *Cliderhou*. Yn negawdau cynnar yr ugeinfed ganrif tybid fod yr enw hwn yn cynnwys elfennau Saesneg a Norseg. Fodd bynnag, rai blynyddoedd yn ôl fe wnaed yr awgrym – awgrym digon teg yn fy marn i – fod yr enw yn cynnwys yr elfen Gymraeg **cludair**, 'pentwr, tomen o gerrig, cruglwyth' a'r elfen Saesneg *hoh*, 'esgair, cefnen o dir'. Y mae enwau lleoedd eraill o dras Brythonig a Chymraeg – enwau megis *Morecambe* a *Glodwick* ger Oldham. Digwydd y gair Cymraeg **cludair** yn enwau dau fynydd yn Eryri, sef **Y Glyder Fawr** a'r **Glyder Fach**.

Felly cafodd yr hen dyddyn yn Llangefni ei enw o gyfenw Saesneg a ddeilliai o enw lle yn Lloegr a oedd yn ei dro yn cynnwys elfen Gymraeg.

T.R.

Tyddyncwcallt

Ychydig ddyddiau cyn llunio'r ysgrif hon cefais lythyr oddi wrth Eirwen Gwynn yn holi am ystyr yr enw **Tyddyncwcallt** – enw ar dyddyn yn Llanystumdwy yn Eifionydd a fu'n gartref iddi hi a'i gŵr Harri Gwynn am flynyddoedd. Y gred gyffredin yw mai **cwcwallt**, benthycair o'r gair Saesneg *cuckold*, 'gŵr y mae ei wraig yn anffyddlon iddo' yw elfen olaf yr enw. Credid gynt y byddai cyrn yn tyfu ar ei ben fel bod pawb yn ei adnabod. Yn y pen draw deillia'r enw o'r ffaith fod y gog yn dodwy wyau mewn nythod adar eraill. Daw'r gair Saesneg *cuckold* yn ei dro o'r Hen Ffrangeg *cucualt*.

Gwelir yr enw **Tyddyncwcallt** gyntaf mewn gweithred o 1717 yng nghasgliad Dolfrïog a'r ffurf a geir yw **Tyddyn y Cwkhallt**. Yn 1757 digwydd y ffurf **Tyddyn Cwckwallt** ac yng nghofrestr plwyf Llanystumdwy ceir y ffurfiau **Tyddyn Cwcall** a **Tyddyn Cwccallt** gogyfer y blynyddoedd 1823 a 1832.

Ymddengys felly mai **cwcwallt**, *'cuckold'* yw elfen olaf yr enw ond y mae posibilrwydd arall, sef y gair **cwcwll/cwcwllt**, 'math o benwisg – gorchudd dros y pen a'r gwddf sy'n gadael yr wyneb yn agored'. Cyfeiria'r gair weithiau at gwfl mynach ac weithiau at benwisg merch. Benthycair yw **cwcwll** o'r gair Lladin *cucullus* 'cwfl'. Fe ddigwydd **cwcwll** yn elfen mewn enwau lleoedd droeon. Digwydd ar ei ben ei hun yn yr enw **Cwcwll** ym Modelwyddan, Caerfyrddin a Llanfynydd a digwydd fel elfen olaf yn yr enw **Tyddyn Brynycwcwll** yn Llanycil. Mae'n debyg y cyfeiria **cwcwll** yn yr enwau hyn at ddarn o dir neu fryn ar ffurf cwfl mynach neu benwisg merch.

O graffu'n hir ar holl ffurfiau'r enwau hyn credaf – o drwch blewyn – mai **cwcwallt**, *'cuckold'* yw elfen olaf yr enw **Tyddyncwcallt**. Hyd y gwelaf nid yw **cwcwallt** ond yn digwydd (yn y ffurf luosog **cwcwalltiaid**) mewn un enw lle arall yng Nghymru, sef yn yr enw bendigedig **Marian y Cwcwalltiaid** – enw ar dir comin ym mhlwyf Ysgeifiog, sir y Fflint. Cofnodir yr enw hwn gyntaf yn un o holiaduron Edward Lhuyd tua 1700.

Yr oedd i **Dyddyncwcallt**, Llanystumdwy enw arall hefyd, sef **Bryn-rhudd**. Dichon mai dyma enw gwreiddiol y tyddyn (cofnodir ef gyntaf yn 1669) ond iddo gael enw newydd tua dechrau'r ddeunawfed ganrif oherwydd sôn a siarad am wraig y tyddynnwr!

T.R.

Watford

Dilyniant i nodyn craff Tomos Roberts ar **Bodffordd** (t.13) yw'r sylwadau hyn gan fod **Watford** yn enw y gellir, efallai, ei ddodi yn yr un categori, er mor Seisnigaidd ei olwg.

Dyma'r enw ar ddaliad o dir ar y llethrau gogleddol rhwng Mynydd Caerffili a Thwyn Garwa ger y Nant Ddu a ddaeth yn enw ar y ffermydd **Watford Fawr (Plas Watford** yn ddiweddarach) a **Watford Fach**. Dyma hefyd gyrchfan enwog y Tadau Methodistaidd ar ddechrau'r ddeunawfed ganrif a'r gymdogaeth y codwyd ynddi y capel annibynnol enwog a alwyd ar yr un enw.

Dichon fod peth cyfrifoldeb am yr argraff mai enw Saesneg yw **Watford** yn y cyswllt hwn yn gorwedd ar ysgwyddau Howel Harris ei hun gan ei fod dro ar ôl tro yn ei ddyddiaduron, o 1739 ymlaen, yn sgrifennu'r enw fel *Waterford* gan gredu, efallai, mai cyfeirio y mae at ryd ar y Nant Ddu. Ond nid yw Harris yn gyson, fodd bynnag, gan ei fod yn defnyddio'r ffurf **Bodford** yn 1739, yn ogystal â **Vodford**, gyda'r gytsain gyntaf wedi ei threiglo ar ôl bannod goll fel pe bai'n enw benywaidd, fel y gwneir yn aml gydag enwau ffermydd.

Ni ddylid priodoli hyn i fympwy personol er hynny gan fod tystiolaeth i ategu bodolaeth y ffurf honno mewn ffynonellau eraill. Lle cafodd George Yates y ffurf od *Uoltvor* ar ei fap o Forgannwg yn 1799 tybed? Ceir **Boddfordd** mewn dogfen leol o 1738-9, ac ym mhapurau stad Twrbiliaid Ewenni, **Tir y Bedfordd** 1717 (a gall **bed-** fod yn amrywiad ar **bod-**, fel yn **Bedwenarth** a **Bedwellte**). Cyn hynny, yn 1570, ceid **Tyr y Voteford**, a chynharach na hynny yw'r ffurfiau *Wotfordsweye* 1313 a *Botfordway* 1314-15 gyda'r Saesneg *way* 'ffordd, llwybr, trac'.

Os yw'r ffurf hon yn ddilys, ai'r un ydyw â **Bodffordd** sir Fôn? Gellir derbyn **bod** 'cartref, preswylfa' fel elfen gyntaf, ac o gofio hanes diddorol y gair **ffordd** yn y Gymraeg, sef ei fod yn fenthyciad o'r Saesneg *ford* 'rhyd' ac wedi datblygu i olygu 'trac, llwybr, heol', gallai olygu'r naill neu'r llall yn y cyswllt hwn, neu gyfuniad o'r ddau i gyfeirio at 'gartrefle ger y ffordd' neu'r man y rhydiai honno'r Nant Ddu – ysbrydoliaeth *Waterford* Howel Harris?

Ni ellir bod yn bendant ac nid oes gofod yma i drafod rhai pwyntiau pellach ynglŷn â ffurf yr enw, ond y rhwystr pennaf yw mai **Watford**, fel yna yn bendant, yw'r ffurf gynharaf o'r enw a feddwn ar glawr, yn 1307.

Gyda llaw, prin fod yma unrhyw gysylltiad â'r ddau *Watford* a geir yn Lloegr, yng nghyffiniau gogleddol Llundain ac yn swydd Northampton, lle ceir yr Hen Saesneg *wāth* 'helwriaeth' gyda *ford* i roi'r ystyr 'rhyd a ddefnyddid wrth hela'.

G.O.P.

Y Werfa

Dyma enw ffermdy gynt ym mhlwyf Aberdâr islaw **Twynywerfa** ar Fynydd Aberdâr, ac fe'i cedwir yn enw'r *Werfa House* presennol.

Y Werfa yw'r ffurf ar yr enw a geir o tua diwedd yr unfed ganrif ar bymtheg ymlaen, ac eithrio pan geir cyfnewid **f** am **v**, a rhagflaenu'r enw â **tir** yn bur gyson hyd y ddeunawfed ganrif, **Tir y Werva** 1696 ac yn y blaen, sy'n awgrymu daliad personol o dir a ddaeth yn ffermdy maes o law.

Prin fod angen nodi mai'r **-fa** (**ma**) cyffredin hwnnw sy'n golygu 'man, lle' ac a geir mewn llu o eiriau fel **disgwylfa, porfa, rhodfa** yw ail elfen yr enw, ond y mae'r elfen gyntaf yn ansoddair lled anghyffredin erbyn hyn er ei fod yn digwydd mewn enwau lleoedd ym Morgannwg, fel **Y Werfa Ddu** (Llantrisant), **Maesywerfa** ger Bryncethin, **Rhiw y werfa** 1792 (Hirwaun), ac yng Ngwent, Ceredigion ac ambell fan arall.

Cyfansawdd ydyw yn ei hanfod o'r rhagddodiad **go-**, sydd yn lleddfu ystyr gair rhyw gymaint (fel yn yr ymadrodd 'go lew'), a'r ansoddair **oer**, sef **go-oer** 'lledoer, cysgodol'. Cyfeiro a wna, wrth gwrs, at fan neu dir sydd yn borfa i wartheg a defaid yng nghysgod yr haul. Weithiau fe'i ceir ger llwyn neu berth. Sonnir mewn un hen destun am 'sefyll dan bren gooer a gochel y brwd a'r tes', ond fe'i defnyddir hefyd fel enw, 'lle cysgodol'.

Yna, ar lafar mewn rhai mannau yn y de, tyfodd **w** rhwng y ddwy **o** i roi'r amrywiad **gŵer** (ac fe aeth enw un cae ym mhlwyf Lecwydd ym Mro Morgannwg yn *the Gower* yn y ddeunawfed ganrif), er bod tystiolaeth i ffurf amrywiol arall gyda'r llafariad **e** yn hir, **gwêr**.

Pa fodd bynnag am hynny, gyda'r terfyniad **-fa** cafwyd **gwerfa** fel enw benywaidd ychwanegol, ac felly **Y Werfa** gyda'r fannod, a thystia *Geiriadur y Brifysgol* i'r amrywiad llafar pellach, **gwyrfa**, ym Morgannwg a Gwent.

G.O.P.

Wormshead: Ynysweryn

Fe gynigiwyd tras Sgandinafaidd gan rai i'r ffurf Saesneg *Wormshead*, enw'r penrhyn sy'n estyn allan ar ochr ddeheuol Bae Rhosili yng Ngŵyr, penrhyn mwyaf gorllewinol Gŵyr y mae cryn arfer o blaid **Penrhyn Gŵyr** fel ei enw Cymraeg, neu'r enw hŷn **Pen(y)pyrod** (**Pen-y-pryf** gan Rhys Amheurug).

Cysylltiad o greigiau sydd yno mewn gwirionedd gyda thair ohonynt yn codi'n lled uchel nes edrych ar y gorwel fel gwrymiau neu gefnau yn codi o'r dŵr, ac fel y mae'n hysbys, cyffredin ar yr arfordir – o'r de i'r gogledd – oedd enwi nodau tir amlwg a chreigiau yn ôl eu ffurf, ac ar enwau anifeiliaid yr oeddynt yn ymdebygu iddynt.

Nid annisgwyl, felly, canfod y gair Saesneg *worm*, Hen Saesneg *wyrm*, yn cael ei ddefnyddio'n ddisgrifiadol yn y cyswllt hwn, yn enwedig gan mai ystyr gynharach *wyrm* oedd rhywbeth fel 'sarff, neidr': *Wormes Hedd* 1536-9, *Wormeshedd* 1562, *Wormeshead poynt* 1578, *Wormesheede* 1596 a.y.b.

Yn ogystal, gan fod y llanw ar ei uchaf yn torri'r cysylltiad rhwng y penrhyn a'r tir, cafwyd cyfeiriad ato yn lled gynnar fel **ynys**, fel y gwnaeth un sgrifennwr Lladin yn y bymthegfed ganrif gyda'i *Insula Wormyshede*.

Yna, mewn fersiwn Lladin o fuchedd y sant Cenydd o'r bedwaredd ganrif ar ddeg gelwir ef yn **Henisweryn**, ffurf Gymraeg gyfatebol, **Ynysweryn** mewn orgraff ddiweddar, sy'n gyfansawdd o **ynys** + ffurf dreigledig yr hen air Cymraeg **gweryn** a allai olygu rhywbeth tebyg i'r Hen Saesneg *wyrm* ac a allai, yntau, gael ei ddefnyddio i olygu sarff neu ryw anghenfil cyffelyb. Yn wir, fe all fod cysylltiad morffolegol rhwng y ddwy ffurf.

Y mae'n bosibl, felly, y gall y ffurfiau *Wormshead* ac **Ynysweryn** fod yn addasiad, y naill o'r llall, ond pa un o'r ddwy ffurf yw'r gynharaf sydd gwestiwn, er tueddu tuag at y ffurf Gymraeg, gan nad oes ffurfiau cynharach ar gael. Ond y mae hynny ynddo'i hun yn ddigon o reswm, efallai, i wrthsefyll y demtasiwn o weld yn y ffurf Saesneg *Wormshead* yr elfen Sgandinafaidd *ormr*, o'r un ystyr (oni bai ei fod yn enw personol), ac y credir ei fod yn digwydd yn enw'r *Great Orme*, Llandudno (**Cynghreawdr Fynydd** *Historia* Gruffudd ap Cynan).

G.O.P.

Ynys-llyn-lladd

Yn ei gyfrol adnabyddus ar hanes Glyn-nedd, ceir gan D.R. Phillips adran ar enwau pyllau neu lynnoedd yn afon Nedd. Un ohonynt yw **Llyn y Lladd** (yn y ffurf yna) a'r awgrym a roir yw fod yr enw'n coffáu trychineb a ddigwyddodd yn y gorffennol.

Dichon y gellid credu hynny pe baem yn gallu derbyn mai'r enw penodol haniaethol, gyda'r fannod, **y lladd**, yw'r ail elfen, ond y mae lle i amau hynny.

Bellach, gwelir yr enw yn y cyfuniad **Ynys-llyn-lladd**, un o tua ugain o 'ynysoedd' ar afon Nedd. Yn y cyswllt hwn, **ynys** yw'r term a welir yn gyffredin yn nyffrynnoedd y de am dir isel ar lan afon y tueddir iddo gael ei orlifo gan y dyfroedd o bryd i'w gilydd, ond tir amaethyddol da, a phorfa dda. Erys rhai ohonynt fel enwau ffermydd sylweddol, a hynny a ddigwyddodd yma, **Ynis Llin Lladd farm** 1770-71 islaw Aberdulais.

Unwaith, fe gynigiais yn betrus mai'r hyn a gawn yma yw'r **llyn lloedd** hwnnw a geir ym Machynlleth yn **Maes-y-llyn-lloedd**, gyda'r hen air **lloedd** 'llonydd, brwnt (budr)' i ddisgrifio pwll neu lyn yn yr afon, ond **a** sydd yn yr elfen olaf yn yr holl ffurfiau a gasglwyd.

Y ffurf gynharaf a welais yw honno a geir mewn dogfen o 1743-44, ond fe all fod yn hollbwysig i egluro'r ystyr. Cyfrif ariannol ydyw, sy'n nodi cost adeiladu cored yn yr afon, *at the head of Llin Llathe pooll or ye Long pool*. Pwll hir, felly, oedd **llyn llath**, ac y mae'r gored yno o hyd lle mae'r afon yn newid cyfeiriad. Y ffurfiau eraill yw, **Ynysllynlladd** 1741, **Ynis llyn lladd** 1784, **Ynisyllynllath** 1824, **Ynyslyn lladd** 1827, **Ynys-llyn-lladd** 1884.

Tybed, felly, mai'r enw cyffredin **llath** 'gwialen fain hir' a geir yma yn drosiadol i ddisgrifio pwll main, hir, yn hytrach na **llath** yn yr ystyr o 'wialen fesur' a allai amrywio cryn dipyn yn ei hyd (cymharer **llathen**), a hwnnw'n mynd yn **lladd** ar lafar, a thrwy eirdarddiaeth boblogaidd.

Ond nid anghofiwn sylw'r hen Ddafydd Morganwg i'r perwyl fod hen enwau pyllau glo yng Nglyn-nedd weithiau'n cynnwys cyfeiriad at drwch y gwythiennau, fel **Y Llathen**. Pe bai pwll glo o enw cyffelyb yng nghyffiniau'r **llyn-llath**, gallai fod wedi cael dylanwad ar ei enwi.

G.O.P.

Ynyswilernyn

Fel y gŵyr pawb, pur gyffredin yw'r enwau hynny sydd ag **ynys** yn elfen gyntaf ynddynt yng nghymoedd Morgannwg. Elfen ydyw, wrth gwrs, sy'n cyfeirio at dir ar lan afon, doldir isel a orchuddir gan ddŵr pan fydd afon yn gorlifo'i glannau – porfa fras yn aml. Fodd bynnag, hyd y gwn, nid yw'r enw uchod yn fyw bellach, ond y mae i'w gael mewn dogfennau rhwng yr unfed ganrif ar bymtheg a'r ddeunawfed ganrif fel enw tir ar lan afon Tawe ym mhlwyf Cilybebyll.

Fe'i nodir yma oherwydd ei ffurf drawiadol ac oherwydd fod cyfaill wedi dod ar ei draws yn un o'r dogfennau hynny yn y ffurf **Ynys Willi hernyn** 1688. Nid yw'r ffurfiau eraill yn niferus, ond fe geir **ynys wyliheyrnyn** 1570, **Ynys Willi hernyn** eto yn 1603 ac **Ynys Will hernin** 1720-21. Pwy a welai fai arno am ofyn pwy oedd y Wil neu'r Wili hwn?

Yn ffodus iawn, fe droediodd y diweddar Athro Melville Richards y llwybr hwn o'n blaenau ac ef sydd wedi datrys y broblem wrth drafod yr elfen Gymraeg **chwil-** mewn enwau lleoedd a nentydd a dangos yn eglur mai'r gair **chwil, chwilen** 'trychfilyn, *beetle, chafer*' ydyw, a'i fod i'w gael mewn amryfal ffurfiau. Gyda'r terfyniad **-og** mewn enwau fel **Chwilog** 'lle ceir llawer o chwilod' (sydd hefyd i'w weld yn enw afon **Wheelock** yn sir Gaer, yn Lloegr); gyda **crug** 'bryncyn, twmpath, carnedd' yn **Chwilgrug**, sef **Wilcrick** yng Ngwent, **Pwll-y-chwil**, **Pant-y-chwil**, **Rhoschwilog** a.y.b. Gyda'r terfyniad **-wg** yn y ffurf **Llwynwhilwg** ger Llanelli, a'r tebyg yw mai ef a geir hefyd gyda'r terfyniad **-ach** yn **Brynwhilach** ym mhlwyf Llangyfelach.

Ffurf arall yw **chwiler**, gyda'r terfyniad **-er** a fagodd ystyr 'magïen (*maggot*), sarff, gwiber' fel yn enw'r nant yn sir Ddinbych sy'n llifo i Glwyd yn **Aberchwiler** (a Seisnigir yn **Aberwheeler**), a ffurf ansoddeiriol **chwiler** yw **chwileiriog** a geir yn yr enw **Chwileiriog**, trefgordd yn Llanarmon-yn-Iâl, ac yn y ffurf **Wileirog** ar y map ger Bow Street, Ceredigion.

Ffurf fachigol o **chwiler**, gyda'r terfyniad bachigol **-yn**, yw **chwileryn**, a barn bendant yr Athro Richards oedd mai hon yw ail elfen yr enw **Ynysw(h)ilernyn**, ond gan nad **Ynyswileryn** yw'r ffurf, rhaid derbyn fod **chwiler** ar lafar gwlad wedi magu **-n** ychwanegol megis y cafwyd hi mewn geiriau fel **siswrn, pinsiwrn, miswrn**, cyn ychwanegu'r terfyniad bachigol.

A oes arlliw o'r enw **Ynyswilernyn** yn bod yn yr ardal erbyn hyn tybed?

G.O.P.

Mynegai

Cyfrolau eraill ar enwau lleoedd

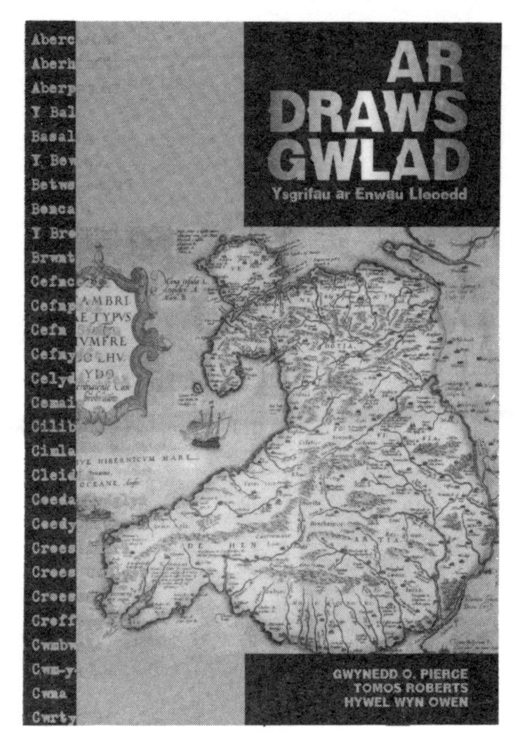

Y gyfrol gyntaf
Pris: £4.50

Enwau – ***Bedwyr Lewis Jones***

Yn Ei Elfen – ***Bedwyr Lewis Jones***

A Study of Radnorshire Place-Names
– ***Richard Morgan***

A Study of Breconshire Place-Names
– ***Richard Morgan/Peter Powell***